4

4年《ねん》に一度《いちど》のスポーツのス

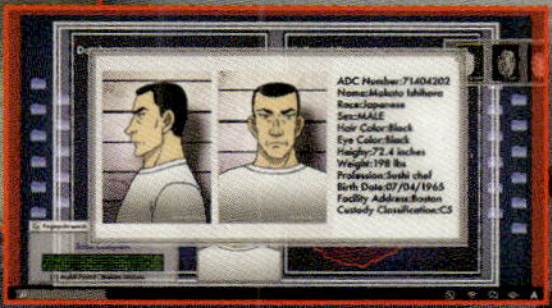

15年前《ねんまえ》に起《お》きた拉致事件《らちじけん》の
犯人《はんにん》は逮捕後死亡《たいほごしぼう》したはず…

模倣犯《もほうはん》!?
それとも…!?

「15年前《ねんまえ》と同《おな》じだね!」

次《つぎ》に狙《ねら》われるのは
WSG《ワールドスポーツゲームス》開会式当日《かいかいしきとうじつ》の
真空超電導《しんくうちょうでんどう》リニア
試乗会《しじょうかい》!?

人《ひと》々《びと》を襲《おそ》う謎《なぞ》の煙《けむり》!?

名古屋《なごや》から東京《とうきょう》まで
たった25分《ふん》でつなぐ
真空超電導《しんくうちょうでんどう》リニアだが…

試乗《しじょう》のために
名古屋《なごや》に集合《しゅうごう》した人々《ひとびと》を
白《しろ》い煙《けむり》が襲《おそ》う!!

「クエンチよ…
早《はや》く逃《に》げて!!」

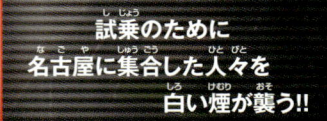

名《な》古《ご》屋《や》に集《あつ》められた

煙《けむり》にまぎれて、
再《ふたた》びスポンサーのトップが行《ゆく》方《え》不《ふ》明《めい》に。
行《ゆく》方《え》を追《お》うコナンと昴《すばる》…

そこに現《あらわ》れたのは…!?

メアリーと真《ま》純《すみ》の目《もく》的《てき》は!?

走《はし》る真《しん》空《くう》超《ちょう》電《でん》導《どう》リニアへ!!

真純《ますみ》とともにリニアに乗《の》り込《こ》んだコナンは、
さらわれたWSG協会《ワールドスポーツゲームスきょうかい》の会長《かいちょう》アランを探《さが》すが…

一方《いっぽう》、名古屋《なごや》で
デート中《ちゅう》の
秀吉《しゅうきち》と由美《ゆみ》は…!?

1 舞《ぶ》台《たい》は時《じ》速《そく》1000Kmで

赤《あか》井《い》と連《れん》絡《らく》を
取《と》りながら
リニア車《しゃ》内《ない》を
捜《そう》索《さく》するコナン
だが…

「あと少《すこ》しだけ待《ま》てる!?」

「いや、タイムリミットだ!」

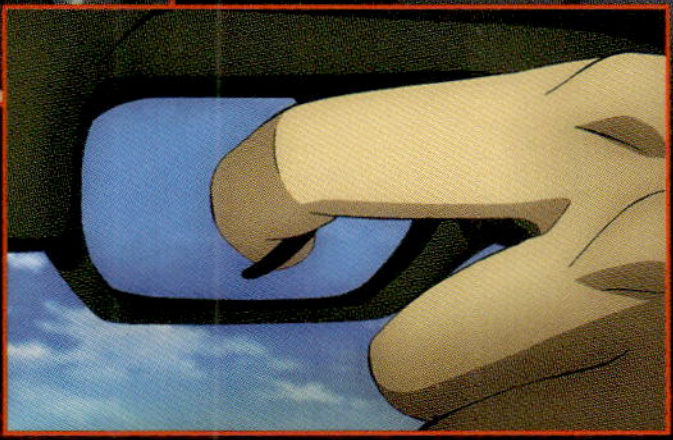

赤《あか》井《い》の弾《だん》丸《がん》が
貫《つらぬ》くのは!?

CHARACTERS

江《え》戸《ど》川《がわ》コナン
（工藤《くどう》新一《しんいち》）
Conan Edogawa

沖《おき》矢《や》 昴《すばる》
Subaru Okiya

赤《あか》井《い》秀《しゅう》一《いち》
Shūichi Akai

世《せ》良《ら》真《ま》純《すみ》
Masumi Sera

毛《もう》利《り》 蘭《らん》
Ran Mōri

メアリー
Mary

羽《はね》田《だ》秀《しゅう》吉《きち》
Shūkichi Haneda

名探偵コナン
緋色の弾丸

水稀しま／著
青山剛昌／原作　櫻井武晴／脚本

★小学館ジュニア文庫★

オレは高校生探偵《こうこうせいたんてい》、工藤新一《くどうしんいち》。

幼《おさな》なじみで同級生《どうきゅうせい》の毛利蘭《もうりらん》と遊園地《ゆうえんち》に遊《あそ》びに行《い》って、黒《くろ》ずくめの男《おとこ》の怪《あや》しげな取《と》り引《ひ》き現場《げんば》を目撃《もくげき》した。

取《と》り引《ひ》きを見《み》るのに夢中《むちゅう》になっていたオレは、背後《はいご》から近《ちか》づいてくるもう一人《ひとり》の仲間《なかま》に気《き》づかなかった。オレはその男《おとこ》に毒薬《どくやく》を飲《の》まされ、目《め》が覚《さ》めたら——体《からだ》が縮《ちぢ》んで子供《こども》の姿《すがた》になっていた!!

工藤新一《くどうしんいち》が生《い》きているとヤツらにバレたら、また命《いのち》を狙《ねら》われ、周《まわ》りの人《ひと》にも危害《きがい》が及《およ》ぶ。だからオレは阿笠博士《あがさはかせ》の助言《じょげん》で正体《しょうたい》を隠《かく》すことにした。

蘭《らん》に名前《なまえ》を聞《き》かれてとっさに『江戸川《えどがわ》コナン』と名乗《なの》り、ヤツらの情報《じょうほう》をつかむために、父親《ちちおや》が探偵《たんてい》をやっている蘭《らん》の家《いえ》に転《ころ》がり込《こ》んだ。

小《ちい》さくなった今《いま》のオレの同級生《どうきゅうせい》——小嶋元太《こじまげんた》、円谷光彦《つぶらやみつひこ》、吉田歩美《よしだあゆみ》、それに、灰原哀《はいばらあい》。灰原《はいばら》の本当《ほんとう》の名《な》は、宮野志保《みやのしほ》。元々《もともと》黒《くろ》ずくめの男《おとこ》たちの仲間《なかま》だったが、自《みずか》ら命《いのち》を絶《た》つため、オレと同《おな》じ薬《くすり》を飲《の》み、体《からだ》が縮《ちぢ》んでしまった。

その黒《くろ》ずくめの組織《そしき》を追《お》っているのは、オレだけじゃない。

アメリカ連邦捜査局《れんぽうそうさきょく》FBI《エフビーアイ》のジェイムズ・ブラック、アンドレ・キャメル、ジョディ・スターリング、そして、赤井秀一《あかいしゅういち》。

赤井《あかい》はFBI《エフビーアイ》きっての狙撃《そげき》の名手《めいしゅ》だが、今《いま》は『沖矢昴《おきやすばる》』という大学院生《だいがくいんせい》に変装《へんそう》し、かつてオレが住《す》んでいた家《いえ》に身《み》を潜《ひそ》めている。

そして、その彼《かれ》の妹《いもうと》──世良真純《せらますみ》。蘭《らん》のクラスに転校《てんこう》してきた女子高生探偵《じょしこうせいたんてい》だ。謎《なぞ》の少女《しょうじょ》とホテルで暮《く》らしているが、その少女《しょうじょ》はおそらく、オレが子供《こども》の頃《ころ》に出会《であ》った赤井秀一《あかいしゅういち》の母親《ははおや》──メアリーと同一人物《どういつじんぶつ》だ。彼女《かのじょ》はイギリスの秘密諜報機関《ひみつちょうほうきかん》「ＭＩ６《エムアイシックス》」に所属《しょぞく》しており、「領域外の妹《りょういきがいいもうと》」と自《みずか》らを名乗《なの》っている。

もし、彼女《かのじょ》もオレと同《おな》じ薬《くすり》を飲《の》み、体《からだ》が縮《ちぢ》んでしまったのだとしたら──いつ、どこで、誰《だれ》に……。

そんな彼女《かのじょ》を『メアリー母《かあ》さん』と呼《よ》んでいた少年《しょうねん》がいた。世良真純《せらますみ》のもう一人《ひとり》の兄《あに》である羽田秀吉《はねだしゅうきち》。彼《かれ》は現在《げんざい》、なんと将棋《しょうぎ》の六冠王《ろっかんおう》だ。

つまり、メアリー、赤井秀一《あかいしゅういち》、羽田秀吉《はねだしゅうきち》、世良真純《せらますみ》の四人《よにん》は家族《かぞく》ということになる。今《こん》回《かい》の事件《じけん》には、このファミリーが深《ふか》く関《かか》わってくるのだが……。

小《ちい》さくなっても頭脳《ずのう》は同《おな》じ。迷宮《めいきゅう》なしの名探偵《めいたんてい》。真実《しんじつ》はいつも一《ひと》つ！

1

十五年前《じゅうごねんまえ》。

全米《ぜんべい》で最《もっと》も治安《ちあん》が悪《わる》い都市《とし》の一《ひと》つと言《い》われるデトロイトのダウンタウンを、一人《ひとり》の黒人《こくじん》の紳士《しんし》が走《はし》っていた。

廃墟《はいきょ》も多《おお》いビル群《ぐん》の下《した》ではホームレスがあちこちで座《すわ》り込《こ》み、工事《こうじ》で狭《せま》くなった道《みち》を労働者《どうしゃ》が行《ゆ》き交《か》う。

「なんで私《わたし》がこんな目《め》に……！」

上質《じょうしつ》なスーツに眼鏡《めがね》をかけた紳士《しんし》の両腕《りょううで》は、後《うし》ろ手《で》にプラスチックのひもで固定《こてい》されていた。荒《あら》い息《いき》をしながら、『ピープルムーバー』と呼《よ》ばれるモノレールの駅《えき》に向《む》かう。

紳士《しんし》が走《はし》りながら後《うし》ろを振《ふ》り返《かえ》ったとたん、銃弾《じゅうだん》が間近《まぢか》をかすめ、地面《じめん》に着弾《ちゃくだん》した。

「クソッ!!」

紳士《しんし》はよろけながらも走《はし》り続《つづ》けた。横断歩道《おうだんほどう》を渡《わた》り、レストランの前《まえ》を通《とお》る。

泥酔《でいすい》してカウンターに突《つ》っ伏《ぷ》す人《ひと》の向《む》こうにテレビがあり、ニュース番組《ばんぐみ》が流《なが》れていた。

建設中《けんせつちゅう》のスタジアムの前《まえ》にリポーターの男《おとこ》が立《た》っている。

『もう間《ま》もなくWSG《ダブルエスジー》ボストンが始《はじ》まりますが、未《いま》だスタジアムが完成《かんせい》しておりません。

果《は》たして当日《とうじつ》までに完成《かんせい》するのでしょうか』

カメラがスタジオに切《き》り替《か》わり、女性《じょせい》キャスターが『万《まん》が一《いち》未完成《みかんせい》のままならば、全米《ぜんべい》の国民《こくみん》が許《ゆる》さないでしょうね』とコメントすると、隣《となり》の男性《だんせい》キャスターが『そのとおり！』と親指《おやゆび》を立《た》てる。

レストランを通《とお》り過《す》ぎた紳士《しんし》は、街角《まちかど》に積《つ》まれたゴミを倒《たお》しながらも走《はし》り、モノレールの駅舎《えきしゃ》にたどり着《つ》いた。一階改札《いっかいかいさつ》の入場《にゅうじょう》バーを飛《と》び越《こ》え、階段《かいだん》へ向《む》かう。

「どいてくれ！」

階段《かいだん》を上《のぼ》る客《きゃく》たちに次々《つぎつぎ》とぶつかるが、全米一治安《ぜんべいいちちあん》の悪《わる》い街《まち》のためか、迷惑顔《めいわくがお》をしても騒《さわ》ぐ人《ひと》はいない。

階段《かいだん》を上《のぼ》り切《き》って二階《にかい》ホームに飛《と》び出《だ》すと、異様《いよう》にポップな色彩《しきさい》のモノレール車両《しゃりょう》が停《と》まっていた。ドアが開《あ》いて、乗客《じょうきゃく》が続々《ぞくぞく》とホームに降《お》りてくる。

紳士《しんし》は乗降客《じょうこうきゃく》をかき分《わ》けて走《はし》った。途中《とちゅう》でつんのめり、先頭《せんとう》のドアの前《まえ》に滑《すべ》り込《こ》むようにして倒《たお》れる。後《うし》ろ手《で》に拘束《こうそく》された彼《かれ》は必死《ひっし》に立《た》ち上《あ》がると、モノレールに乗《の》り込《こ》もうとした。

汚《よご》れた革靴《かわぐつ》で車内《しゃない》に足《あし》を踏《ふ》み入《い》れた瞬間《しゅんかん》――銃声《じゅうせい》がした。

車内《しゃない》に飛《と》び込《こ》んだ紳士《しんし》の体《からだ》がビクンッと跳《は》ね上《あ》がり、鮮血《せんけつ》をほとばしらせて倒《たお》れる。

ホームにいた客《きゃく》たちは悲鳴《ひめい》を上《あ》げ、一斉《いっせい》に逃《に》げ出《だ》した。車内《しゃない》からも客《きゃく》が飛《と》び出《だ》す。

逃《に》げ惑《まど》う客《きゃく》たちの中《なか》、キャップ帽《ぼう》を目深《まぶか》に被《かぶ》った東洋人《とうようじん》の男《おとこ》がホームに立《た》っていた。持《も》っていた銃《じゅう》をポケットに入《い》れると、顔《かお》を上《あ》げて車内《しゃない》に倒《たお》れた紳士《しんし》を見《み》つめる。

やがて扉《とびら》が自動《じどう》で閉《し》まり、絶命《ぜつめい》した紳士《しんし》を乗《の》せたモノレールは何事《なにごと》もなかったかのように走《はし》り出《だ》した。

2

東京《とうきょう》にある芝浜《しばはま》ビューホテルの大宴会場《だいえんかいじょう》には千人《せんにん》を超《こ》える人々《ひとびと》が集《つど》い、背広姿《せびろすがた》の男性《だんせい》が多《おお》い立食《りっしょく》パーティーには、鈴木財閥《すずきざいばつ》のお嬢様《じょうさま》・鈴木園子《すずきそのこ》に連《つ》れてこられたコナンたちの姿《すがた》があった。

ステージの両脇《りょうわき》に設置《せっち》されたモニターには、超高速《ちょうこうそく》でトンネルを走《はし》るリニアモーターカーのCG《シージー》映像《えいぞう》が流《なが》れていた。映像《えいぞう》の上部《じょうぶ》に表示《ひょうじ》されたスピードメーターがどんどん上《あ》がっていく。ステージには二人《ふたり》の女性《じょせい》が立《た》っていた。

「この真空超電導《しんくうちょうでんどう》リニアは最高速度《さいこうそくど》がなんと、時速《じそく》1000キロ！」

リニア乗務員《じょうむいん》の制服《せいふく》を着《き》た女性《じょせい》が説明《せつめい》すると、場内《じょうない》から拍手《はくしゅ》が沸《わ》いた。

「素晴《すば》らしい！」

「早《はや》く乗《の》りたいですね」

鈴木財閥《すずきざいばつ》の会長《かいちょう》・鈴木史郎《すずきしろう》も、談笑《だんしょう》していた隣《となり》の黒人男性《こくじんだんせい》と共《とも》に手《て》を叩《たた》く。

「皆様《みなさま》、盛大《せいだい》な拍手《はくしゅ》を誠《まこと》にありがとうございます」

制服姿《せいふくすがた》の女性《じょせい》は、並《なら》んで立《た》つスーツ姿《すがた》の小柄《こがら》な女性《じょせい》と一緒《いっしょ》にお辞儀《じぎ》をした。

「この新《あら》たに作《つく》られた真空超電導《しんくうちょうでんどう》リニアは、新名古屋駅《しんなごやえき》と東京《とうきょう》の芝浜駅《しばはまえき》の間《あいだ》をなんと、二《に》十五分《じゅうごふん》で走《はし》り抜《ぬ》けまーす！」

両手《りょうて》で二《に》と五《ご》の数字《すうじ》を示《しめ》してニッコリほほ笑《え》むと、招待客《しょうたいきゃく》からどよめきが起《お》きた。

「二十五分《にじゅうごふん》だと!?」「いくらなんでも速《はや》すぎないか？」「ありえない……！」

大人《おとな》に混《ま》じっている小嶋元太《こじまげんた》も「すっげー!!」と目《め》を輝《かがや》かせる。

「でも、芝浜駅《しばはまえき》ってどこだ？」

「えっ！　知《し》らないんですか、元太君《げんたくん》!?」円谷光彦《つぶらやみつひこ》が目《め》を丸《まる》くする。

「お姉《ねえ》さんが今《いま》から説明《せつめい》してくれるって」

吉田歩美《よしだあゆみ》がモニターを指差《ゆびさ》すと、再《ふたた》び映像《えいぞう》が映《うつ》し出《だ》された。子供《こども》たちはモニターが見《み》やすい位置《いち》に移動《いどう》する。

「まず最初《さいしょ》に、川品駅《かわしなえき》と岡松町駅《おかまつちょうえき》の間《あいだ》にできた芝浜駅《しばはまえき》は、真空超電導《しんくうちょうでんどう》リニア発着専用《はっちゃくせんよう》に建築《けんちく》されました。そして、本日《ほんじつ》の会場《かいじょう》でもある芝浜《しばはま》ビューホテルと駅《えき》は地下道《ちかどう》で繋《つな》がっており、また来月《らいげつ》、ＷＳＧ《ダブルエスジー》東京《とうきょう》の開会式《かいかいしき》が行《おこな》われる芝浜《しばはま》スタジアムとはそのまま直結《ちょっけつ》しています。芝浜周辺《しばはましゅうへん》はＷＳＧ東京《ダブルエスジーとうきょう》の開幕後《かいまくご》も、真空超電導《しんくうちょうでんどう》リニアの始発駅《しはつえき》として人々《ひとびと》の拠点《きょてん》となるでしょう」

モニターには芝浜駅《しばはまえき》付近《ふきん》の航空写真《こうくうしゃしん》が映《うつ》し出《だ》され、芝浜《しばはま》ビューホテルと芝浜《しばはま》スタジアムがズームアップされた。さらに映像《えいぞう》が切《き》り替《か》わって、ライトアップされた芝浜駅《しばはまえき》や芝浜《しばはま》スタジアムが映《うつ》る。

モニターを間近《まぢか》で見《み》ていた元太《げんた》は、首《くび》を傾《かし》げた。

「ダブルエスジーって、どういう意味《いみ》だ？」

「歩美《あゆみ》、わかんない」

「えっと確《たし》か……」光彦《みつひこ》が考《かんが》え込《こ》んでいると、

「なーに悩《なや》んでんだ？」コナンと灰原哀《はいばらあい》がやってきた。

「あっコナン君《くん》、哀《あい》ちゃん」

「トイレ長《なが》かったですね」

光彦《みつひこ》が言《い》うと、灰原《はいばら》は「探《さが》すのに迷《まよ》っただけよ」と否定《ひてい》した。そこに毛利蘭《もうりらん》が遅《おく》れてやってきた。「みんな待《ま》たせてごめんね！」

「なぁ、コナン。ダブルエスジーって知《し》ってるか？」

元太《げんた》がたずねると、コナンは「ああ、もちろん」とうなずいた。

「ワールド・スポーツ・ゲームス。略《りゃく》してWSG《ダブルエスジー》。四年《よねん》に一回開《いっかいひら》かれるスポーツ大会《たいかい》のことだよ」

「世界中《せかいじゅう》のアスリートが、国《くに》の威信《いしん》を懸《か》けて競《きそ》うのよ」

灰原《はいばら》が付《つ》け加《くわ》えると、光彦《みつひこ》は思《おも》い出《だ》したようだった。

「そういえば、今年《ことし》は数十年《すうじゅうねん》ぶりに東京《とうきょう》でやるって、テレビで盛《も》り上《あ》がってました！」

「へぇ～」

『ＷＳＧ《ダブルエスジー》東京《とうきょう》　協賛《きょうさん》企業《きぎょう》壮行会《そうこうかい》』の幕《まく》が掲《かか》げられたステージでは、小柄《こがら》な女性《じょせい》が引《ひ》き続《つづ》き説明《せつめい》をしていた。

「ＷＳＧ《ダブルエスジー》東京《とうきょう》の開会式当日《かいかいしきとうじつ》、この真空超電導《しんくうちょうでんどう》リニアが開通《かいつう》します！　それに乗《の》るのは本日《ほんじつ》出席《しゅっせき》されているＷＳＧ《ダブルエスジー》東京《とうきょう》のスポンサーの皆様《みなさま》、そして各国《かっこく》のＷＳＧ《ダブルエスジー》協会《きょうかい》の皆様《みなさま》です！」

モニターには、各国《かっこく》のＷＳＧ《ダブルエスジー》協会《きょうかい》の代表委員《だいひょういいん》の顔写真《かおじゃしん》がズラリと並《なら》んだ。

「また、本日《ほんじつ》は代表《だいひょう》として、国際《こくさい》ＷＳＧ《ダブルエスジー》協会会長《きょうかいかいちょう》のアラン・マッケンジーさんよりコメントが届《とど》いています」

モニターに並《なら》ぶ代表委員《だいひょういいん》たちの中《なか》からアラン・マッケンジーがピックアップされ、その経歴《けいれき》が列記《れっき》された。連邦検事《れんぽうけんじ》、司法副長官《しほうふくちょうかん》、アメリカＷＳＧ《ダブルエスジー》協会会長《きょうかいかいちょう》、ＦＢＩ《エフビーアイ》長官《ちょうかん》、司法《しほう》長官《ちょうかん》など、素晴《すば》らしいキャリアの持《も》ち主《ぬし》だ。

（ＦＢＩ長官《エフビーアイちょうかん》……）

コナンがその経歴《けいれき》を眺《なが》めていると、

『ニホンノミナサン、コンニチハ』

モニターの画像《がぞう》が切《き》り替《か》わって、アランが映《うつ》った。アランがいる部屋《へや》の窓《まど》からは、マンハッタンの超高層《ちょうこうそう》ビルが見《み》える。

『ＷＳＧ《ダブルエスジー》東京《とうきょう》の開会式《かいかいしき》を皆《みな》さんと見《み》られることを、そして世界初《せかいはつ》の真空超電導《しんくうちょうでんどう》リニアに皆《みな》さんと乗車《じょうしゃ》できることを楽《たの》しみにしています』

モニターには日本語《にほんご》の字幕《じまく》も表示《ひょうじ》されて、

「いいなぁ。オレも乗《の》りてーな」

「ボクら庶民《しょみん》には無理《むり》ですよ」

子供《こども》たちがうらやましがる。すると、制服姿《せいふくすがた》の女性《じょせい》が口《くち》を開《ひら》いた。

「そして、ここで皆《みな》さんにお知《し》らせしたいことがあります。なんとそのリニアに抽選《ちゅうせん》で一般《いっぱん》の方々《かたがた》も乗《の》れることが決定《けってい》しました！」

ざわめく参加客《さんかきゃく》の中《なか》、子供《こども》たちは「やった〜!!」と両手《りょうて》を上《あ》げて喜《よろこ》んだ。

「でも喜《よろこ》ぶのはまだ早《はや》いんじゃない？」

蘭《らん》が声《こえ》をかけると、歩美《あゆみ》は「え、なんで？」と不思議《ふしぎ》そうな顔《かお》をした。

「抽選《ちゅうせん》だって言《い》ったでしょ」

「どんだけ倍率《ばいりつ》高《たか》いと思《おも》ってんだよ」

灰原《はいばら》とコナンが突《つ》っ込《こ》むと、

「なんだよ、ケチんぼ大魔王《だいまおう》」

元太《げんた》は不服《ふふく》そうに両手《りょうて》を頭《あたま》の後《うし》ろで組《く》んだ。その隣《となり》で光彦《みつひこ》はあきらめてないようだった。

「いえ、まだ方法《ほうほう》はあります！　確《たし》か鈴木財閥《すずきざいばつ》の会社《かいしゃ》のいくつかがWSG《ダブルエスジー》東京《とうきょう》のスポンサーだったはず」

「そっか！　園子《そのこ》お姉《ねえ》さんに頼《たの》めばいいんだ」

歩美《あゆみ》と元太《げんた》が喜《よろこ》んでいると、

「いいんだじゃないわよ」

背後《はいご》から園子《そのこ》の声《こえ》がした。子供《こども》たちが振《ふ》り返《かえ》ると、園子《そのこ》が両親《りょうしん》の史郎《しろう》と朋子《ともこ》を連《つ》れて歩《ある》いてくる。

「そんなプラチナチケット、簡単《かんたん》に手《て》に入《はい》るはずないでしょ。世《よ》の中《なか》そんなに甘《あま》くないいんだからね！」

「まぁまぁ、園子《そのこ》。一応《いちおう》頼《たの》んでみようか？」

「そうねぇ。子供《こども》たちの分《ぶん》くらいなら……」

史郎《しろう》と朋子《ともこ》の言葉《ことば》に、子供《こども》たちは「お──っ!!」と大喜《おおよろこ》びする。園子《そのこ》は両親《りょうしん》をジロリとにらんだ。

「つたく。ガキンチョたちを甘《あま》やかしすぎなんじゃない？」

すると、子供《こども》たちが園子《そのこ》に抗議《こうぎ》した。

「口《くち》を挟《はさ》まないでください！」

「いい感《かん》じだったのに〜」

「邪魔《じゃま》すんなよな！」

腰《こし》に両手《りょうて》を当《あ》てた園子《そのこ》は、子供《こども》たちにグッと顔《かお》を近《ちか》づけた。

「あんたたちねぇ。ここに来《こ》られただけでも感謝《かんしゃ》しなさい！　今日《きょう》はWSG《ダブルエスジー》東京《とうきょう》のスポンサーしか招待《しょうたい》されないパーティーなんだからね！」

「……はーい」

子供《こども》たちがうなだれていると、ホテルスタッフが「お取《と》り込《こ》み中《ちゅう》すみません」と声《こえ》をかけてきた。

「今《いま》からこちらに食事《しょくじ》ワゴンを並《なら》べてもよろしいでしょうか？」

「あ、はーい」

「すぐどきます」

園子《そのこ》と蘭《らん》が慌《あわ》てて移動《いどう》する。ホテルスタッフは次々《つぎつぎ》と料理《りょうり》を載《の》せたワゴンを運《はこ》び入《い》れた。

西洋《せいよう》、中華《ちゅうか》、エスニック、日本料理《にほんりょうり》と多彩《たさい》なメニューがずらりと並《なら》ぶ。

「うっまそー!!」「おいしそ〜!!」

子供《こども》たちは目《め》の前《まえ》に並《なら》ぶご馳走《ちそう》に目《め》を輝《かがや》かせた。

「みんな、料理《りょうり》を取《と》り終《お》わったら扉《とびら》の前《まえ》に集合《しゅうごう》ね！」

蘭《らん》に言《い》われた子供《こども》たちは「はーい！」と返事《へんじ》すると、さっそく食事《しょくじ》ワゴンへ向《む》かった。

「いっぱい食《く》って元取《もとと》るぞ！」

「元太君《げんたくん》、それはお金《かね》を払《はら》った人《ひと》が言《い》うセリフです」

張《は》り切《き》る元太《げんた》に、光彦《みつひこ》がすかさず突《つ》っ込《こ》む。

コナンと灰原《はいばら》はグラスを片手《かたて》に、食事《しょくじ》ワゴンに群《むら》がる子供《こども》たちを見《み》ていた。

「切《き》り替《か》え早《はや》えーなぁ……」

「そうね。私《わたし》たちより若《わか》いもの」

「若《わか》いって……オレもお前《まえ》もまだ十代《じゅうだい》……」

コナンが苦笑《にがわら》いすると、灰原《はいばら》は持《も》っていたグラスをコナンのグラスに近《ちか》づけた。

「じゃあ、臨機応変《りんきおうへん》で無邪気《むじゃき》な子供《こども》たちに乾杯《かんぱい》」

二人《ふたり》がグラスを合《あ》わせる直前《ちょくぜん》——突然《とつぜん》、会場《かいじょう》の照明《しょうめい》が明滅《めいめつ》して消《き》えた。

「なんだ？」元太《げんた》ら、子供《こども》たちが天井《てんじょう》を見上《みあ》げる。

いきなり真《ま》っ暗《くら》になって、参加客《さんかきゃく》のざわめきが大《おお》きくなる中《なか》、アナウンスが流《なが》れる。

『芝浜《しばはま》ビューホテルよりお知《し》らせします。現在《げんざい》、奇数階《きすうかい》にて停電《ていでん》が発生《はっせい》しました。間《ま》もなく非常電源《ひじょうでんげん》が作動《さどう》します。それまでその場《ば》で落《お》ち着《つ》いてお待《ま》ちください』

「何《なに》が起《お》こったんだ？」

コナンが辺《あた》りを見回《みまわ》すと、視界《しかい》の端《はし》で青白《あおじろ》い光《ひかり》が一瞬走《いっしゅんはし》った。

（なんだ、あの光《ひかり》——!?）

ホテルの英語《えいご》アナウンスが終《お》わると、スマホなどの光《ひかり》があちこちで灯《とも》り出《だ》した。

「わりぃ灰原《はいばら》、グラス持《も》っててくれねーか」

そう言《い》って、コナンは腕時計《うでどけい》のライトをつけて周囲《しゅうい》を照《て》らし、青白《あおじろ》い光《ひかり》が走《はし》った方《ほう》へ歩《ある》き出《だ》した。

「確《たし》かこの辺《へん》で光《ひかり》が」

コナンは立《た》ち止《ど》まりその場《ば》の様子《ようす》を探《さぐ》っていたが、移動《いどう》しようとした瞬間《しゅんかん》、ふいに誰《だれ》かに腕《うで》をつかまれた。

「!!」

「コナン君《くん》、大丈夫《だいじょうぶ》？」

蘭《らん》だった。その後《ご》、すぐに非常灯《ひじょうとう》が点《つ》いて、安堵《あんど》のざわめきが周囲《しゅうい》からこぼれる。

「……あれ？　パパ？」

園子《そのこ》はさっきまでそばにいた史郎《しろう》がいないことに気《き》づいた。

「パパ！　いたら返事《へんじ》してー！」

周囲《しゅうい》を見回《みまわ》す園子《そのこ》のそばで、朋子《ともこ》がスマホで電話《でんわ》をかける。

園子《そのこ》の声《こえ》に気《き》づいた蘭《らん》は、コナンと共《とも》に駆《か》け寄《よ》った。

「園子《そのこ》！　どうしたの？」

「あっ、蘭《らん》！　パパがいなくなっちゃって」

「電話《でんわ》も繋《つな》がらないのよ」

朋子《ともこ》は心配《しんぱい》そうな顔《かお》で、スマホを切《き》った。

「さっきまで一緒《いっしょ》にいたじゃない」

「そうなんだけど、非常灯《ひじょうとう》が点《つ》いたらいなくなってて……」

「ほんと、どこに行《い》ったのかしら？」

コナンと蘭《らん》も周囲《しゅうい》を見回《みまわ》すが、落《お》ち着《つ》きを取《と》り戻《もど》した参加客《さんかきゃく》や食事《しょくじ》ワゴンの出《だ》し入《い》れを再開《さいかい》したホテルスタッフの姿《すがた》はあるが、史郎《しろう》の姿《すがた》はない。すると、

「あっ、ジョンさんだ」

園子《そのこ》はさっきまで史郎《しろう》と一緒《いっしょ》にいた黒人男性《こくじんだんせい》を見《み》つけた。

「ちょっとパパを見《み》てないか聞《き》いてくる！」

「待《ま》って、園子《そのこ》！」

蘭《らん》は園子《そのこ》の後《あと》を追《お》い、日本人男性《にっぽんじんだんせい》と会話《かいわ》をしているジョン・ボイドに駆《か》け寄《よ》った。コナンも後《あと》に続《つづ》く。

「ジョンさん！　お話《はな》し中《ちゅう》すみません。少《すこ》しお時間《じかん》いただけますか？」

園子《そのこ》が声《こえ》をかけると、ジョンは日本人男性《にっぽんじんだんせい》に手《て》を振《ふ》り、園子《そのこ》の方《ほう》を向《む》いた。

「オー、ソノコさん。どうしました？」

「あの、さっきまで一緒《いっしょ》だった鈴木史郎《すずきしろう》なのですが、どこに行《い》ったか知《し》りませんか？」

ジョンは史郎《しろう》の名前《なまえ》を聞《き》いてビクリと肩《かた》を強張《こわば》らせた。そしてなぜか呆然《ぼうぜん》として、何《なに》も答《こた》えようとしない。

「あ、あの……ジョンさん？」

園子《そのこ》が困惑《こんわく》していると、

「私《わたし》は知《し》らない！」

手《て》を強《つよ》く握《にぎ》りしめたジョンが叫《さけ》んだ。そして突然《とつぜん》後《うし》ろを向《む》いて駆《か》け出《だ》す。

「あ、ジョンさん！」

園子《そのこ》がビックリして声《こえ》をかけたが、ジョンは人波《ひとなみ》をかき分《わ》けるようにして会場《かいじょう》を出《で》ていった。

「……蘭《らん》、わたしなんか変《へん》なこと言《い》った？」

「そんなことないと思《おも》うけど……」

怪訝《けげん》な顔《かお》をする蘭《らん》たちの背後《はいご》で、コナンが考《かんが》えていると、

「江戸川君《えどがわくん》」

灰原《はいばら》が近《ちか》づいてきた。そばのテーブルからは元太《げんた》たちが顔《かお》を出《だ》して、二人《ふたり》の会話《かいわ》を聞《き》いている。

「停電《ていでん》は30秒《びょう》くらいだったわよね」

「ああ。その短《みじか》い間《あいだ》にこの広《ひろ》い会場《かいじょう》から消《き》えるってのは……」

コナンが会場《かいじょう》を見回《みまわ》していると、元太《げんた》たちがテーブルの下《した》から勢《いきお》いよく出《で》てきた。

「ってことはオレたちの出番《でばん》だな！」

「久《ひさ》しぶりですね！」

「そうだね！」

一列《いちれつ》に並《なら》んだ三人《さんにん》はそれぞれポーズを取《と》り、

「ボクたち」

「わたしたち」

「オレたちは」

「なんたって少年探偵団《しょうねんたんていだん》なんだから!!」

とグルグル回転《かいてん》して、派手《はで》なアクションポーズを決《き》めた。

園子《そのこ》、灰原《はいばら》、コナンはハア……とため息《いき》をつく。

「園子姉《そのこねえ》ちゃん、ホテルの人《ひと》に探《さが》してもらお」

コナンは園子《そのこ》の方《ほう》を向《む》いて言《い》った。


目暮十三警部《めぐれじゅうぞうけいぶ》が芝浜《しばはま》ビューホテルに駆《か》けつけると、先《さき》に来《き》ていた佐藤美和子警部補《さとうみわこけいぶほ》と高《たか》木渉巡査部長《ぎわたるじゅんさぶちょう》が大宴会場前《だいえんかいじょうまえ》にいた。

「待《ま》たせてすまんな。状況《じょうきょう》はどうだ？」

「鈴木会長《すずきかいちょう》はまだ見《み》つかりません」

高木《たかぎ》が報告《ほうこく》すると、目暮《めぐれ》は「そうか……」と険《けわ》しい顔《かお》をした。

「館内側《かんないがわ》からの呼《よ》び出《だ》しにも応答《おうとう》がないままです」

佐藤《さとう》の報告《ほうこく》を聞《き》いて、目暮《めぐれ》が、うむ……と考《かんが》え込《こ》む。

「身代金《みのしろきん》を目的《もくてき》とした誘拐事件《ゆうかいじけん》かもしれんな。園子君《そのこくん》と夫人《ふじん》はどちらに？」

「いったんホテルの部屋《へや》で休《やす》んでもらっていますが、鈴木会長《すずきかいちょう》のスマホには定期的《ていきてき》にかけ続《つづ》けてもらっています」

佐藤《さとう》が答《こた》えると、高木《たかぎ》が「それと……」と切《き》り出《だ》す。

「パーティーにコナン君《くん》たちが来《き》ていまして、停電《ていでん》になってすぐ、青白《あおじろ》い火花《ひばな》のような光《ひかり》を見《み》たとの証言《しょうげん》が……」

「話《はなし》を聞《き》こう」

目暮《めぐれ》が言《い》うと、高木《たかぎ》は園子《そのこ》たちがいるスイートルームに向《む》かった。

高木《たかぎ》に呼《よ》び出《だ》されたコナンと灰原《はいばら》は、参加客《さんかきゃく》がいなくなった大宴会場《だいえんかいじょう》に入《はい》った。テーブルにはドリンクが置《お》かれたままで、料理《りょうり》が載《の》せられたワゴンもそのままになっている。

「それ、多分《たぶん》アレだと思《おも》う」

青白《あおじろ》い光《ひかり》のことを訊《き》かれたコナンは、子供《こども》っぽい口調《くちょう》で答《こた》えた。

「ほら、テレビドラマとかで悪《わる》い人《ひと》がビリビリやって、人《ひと》を気絶《きぜつ》させちゃうヤツ」

「スタンガン！」

声《こえ》を揃《そろ》えた佐藤《さとう》と高木《たかぎ》は、顔《かお》を見合《みあ》わせた。しゃがんでコナンの話《はなし》を聞《き》いていた目暮《めぐれ》が体《からだ》を起《お》こす。

「まさか、鈴木会長《すずきかいちょう》もスタンガンで拉致《らち》されたってことか？」

「鈴木会長《すずきかいちょう》〝も〟……？」

コナンは目暮《めぐれ》の言葉《ことば》が気《き》になった。一方《いっぽう》で隣《となり》にいた灰原《はいばら》は、いつの間《ま》にか会場《かいじょう》に入《はい》ってきている元太《げんた》たちの姿《すがた》を見《み》つけた。目暮《めぐれ》たちに見《み》つからないようにテーブルの陰《かげ》に身《み》を潜《ひそ》め、隙《すき》を見《み》て隣《となり》のテーブルへ走《はし》っていく。

「でも、気絶《きぜつ》した人《ひと》をここから連《つ》れ出《だ》すなんて、30秒《びょう》じゃ無理《むり》ですよ」

佐藤《さとう》の発言《はつげん》に、目暮《めぐれ》は、うむ、と顎《あご》を引《ひ》いた。

「誰《だれ》かに目撃《もくげき》されるはずだな」

「招待客全員《しょうたいきゃくぜんいん》に聴取《ちょうしゅ》しましたが、そんな目撃証言《もくげきしょうげん》はありませんでした」

高木《たかぎ》が手帳《てちょう》をめくりながら報告《ほうこく》すると、目暮《めぐれ》はホテルスタッフの方《ほう》に向《む》き直《なお》った。

「防犯《ぼうはん》カメラは確認《かくにん》したんですよね？」

「ええ。非常電源《ひじょうでんげん》が点《つ》いた後《あと》、怪《あや》しい動《うご》きをしている人《ひと》はいませんでした。停電中《ていでんちゅう》は暗《くら》くてわかりませんでしたが……」

ホテルスタッフの証言《しょうげん》を聞《き》いて、コナンは顎《あご》に手《て》を当《あ》てて考《かんが》え込《こ》む。

（確《たし》かに気絶《きぜつ》した人間《にんげん》を人目《ひとめ》がある中《なか》、どうやって連《つ》れ出《だ》したんだ……？　そして、その目的《もくてき》はいったい……）

するとそのとき、

「やっぱりそうだ！」

背後《はいご》で元太《げんた》の声《こえ》がした。振《ふ》り返《かえ》ると、料理《りょうり》が載《の》ったワゴンの前《まえ》で、元太《げんた》が四《よ》つん這《ば》いになっている。

「どうしました⁉」「何《なに》か見《み》つかったの⁉」

光彦《みつひこ》と歩美《あゆみ》が駆《か》け寄《よ》ると、

「ウナギのにおいがこの辺《へん》からする！」

元太《げんた》が顔《かお》を上《あ》げて言《い》った。

「え、全然《ぜんぜん》わかんない」「元太君《げんたくん》の嗅覚《きゅうかく》、スゴすぎです」

子供《こども》たちがにおいを嗅《か》ぐ中《なか》、目暮《めぐれ》たちはあきれた顔《かお》をした。

「あの子《こ》たち、部屋《へや》からついてきちゃったのか」

「すぐに戻《もど》ってもらいましょう」

高木《たかぎ》と佐藤《さとう》が近寄《ちかよ》ろうとすると、元太《げんた》はすっくと立《た》ち上《あ》がった。

「ウナギのにおいが残《のこ》ってるのによぉ、なのになんでウナギがねぇんだよ！」

とずらりと並《なら》んだ食事《しょくじ》ワゴンを指差《ゆびさ》す。

「……そういうことか」

何《なに》かに気《き》づいたコナンは、子供《こども》たちに駆《か》け寄《よ》った。灰原《はいばら》も後《あと》に続《つづ》く。

「ねえ、ここ！」コナンは壁際《かべぎわ》に並《なら》んだ食事《しょくじ》ワゴンを指差《ゆびさ》した。

「ちょうどワゴン一《ひと》つ分空《ぶんあ》いてる。ここにも何《なに》か料理《りょうり》があったんじゃない？」

目暮《めぐれ》たちと小走《こばし》りでやってきたホテルスタッフは、えーと、と顎《あご》に手《て》を当《あ》てた。

「そこには『ウナギの蒲焼《かばやき》とタレで蒸《む》したおこわ飯《めし》』があったはずです」

「何《なに》それ、超《ちょう》うまそうじゃんか！」

元太《げんた》が反応《はんのう》するそばで、ホテルスタッフは首《くび》を傾《かし》げた。

「でも変《へん》だな。ご飯物《はんもの》は出《だ》したばかりなのに、なんでないんだろう……」

「おいしすぎて人気《にんき》だから、すぐなくなっちゃったとかですかね？」

光彦《みつひこ》が言《い》うと、ワゴンに近《ちか》づいたコナンは「違《ちが》う。見《み》ろ」とワゴンの下段《げだん》にかけられた白《しろ》いクロスをめくった。

「ここなら、人《ひと》が乗《の》れる」

コナンの言《い》うとおり、ワゴンの下段《げだん》には人《ひと》が乗《の》れるスペースが十分《じゅうぶん》にある。

「まさか、それで鈴木会長《すずきかいちょう》を運《はこ》んだ？」目《め》を丸《まる》くする高木《たかぎ》の横《よこ》で、

「確《たし》かにこれなら気《き》づかれずに運《はこ》び出《だ》せます」

佐藤《さとう》はワゴンに近《ちか》づいて、確認《かくにん》するように白《しろ》いクロスをめくった。

「だとすると、犯人《はんにん》はホテルスタッフか、その恰好《かっこう》をしている可能性《かのうせい》が高《たか》いのではないでしょうか？」

目暮《めぐれ》は、うむ、と顎《あご》を引《ひ》き、高木《たかぎ》の方《ほう》に向《む》き直《なお》った。

「ここからワゴンを押《お》して出《で》ていったホテルスタッフがいたか、目撃者《もくげきしゃ》を探《さが》せ！　ホテル内《ない》の防犯《ぼうはん》カメラも再確認《さいかくにん》だ！」

「はい！」

高木《たかぎ》と佐藤《さとう》はすぐに会場《かいじょう》を出《で》ていき、目暮《めぐれ》は子供《こども》たちを見《み》た。

「君《きみ》たちはすぐに部屋《へや》に戻《もど》るんだぞ！」

「はぁ〜い！」

子供《こども》たちは元気《げんき》いっぱいに返事《へんじ》をした。が、目暮《めぐれ》たちがいなくなると、顔《かお》を見合《みあ》わせてニヤリと笑《わら》う。

(おいおい……)

コナンが思《おも》ったとおり、子供《こども》たちは素直《すなお》に部屋《へや》に戻《もど》らなかった。廊下《ろうか》に出《で》た元太《げんた》は再《ふた》び四《よ》つん這《ば》いになり、クンクンとにおいを嗅《か》ぎながら進《すす》んでいく。

「こっちだ！　ウナギのにおいはこっちに向《む》かってる！」

立《た》ち上《あ》がった元太《げんた》は、猛然《もうぜん》と駆《か》けていった。

「元太君《げんたくん》スゴイ！　警察犬《けいさつけん》みたい！」

「こんな才能《さいのう》があったなんて！」

歩美《あゆみ》と光彦《みつひこ》が後《あと》を追《お》うと、

「なんだお前《まえ》ら、知《し》らなかったのかよ」

元太《げんた》が振《ふ》り返《かえ》って得意《とくい》げな顔《かお》をした。

(知《し》ってた気《き》がする……)

灰原《はいばら》と一緒《いっしょ》に追《お》いかけるコナンが、心《こころ》の中《なか》でつぶやく。

「もう近《ちか》いぞ！」

先頭《せんとう》を走《はし》っていた元太《げんた》は、廊下《ろうか》の先《さき》にある厨房《ちゅうぼう》を指差《ゆびさ》した。

「においがだんだん強《つよ》くなってきた！」

広《ひろ》い厨房《ちゅうぼう》には誰《だれ》もおらず、静《しず》まり返《かえ》っていた。蛇口《じゃぐち》から落《お》ちる水《みず》の音《おと》が、ぴちょん、と響《ひび》く。大《おお》きな調理台《ちょうりだい》の上《うえ》には、これからワゴンで運《はこ》ぶ予定《よてい》だった料理《りょうり》がたくさん並《なら》んでいた。

「だーれもいないね」

「今《いま》、従業員《じゅうぎょういん》は取《と》り調《しら》べ中《ちゅう》なんだろ」

「元太君《げんたくん》、どうですか？」

光彦《みつひこ》がたずねると、においを嗅《か》ぎながら歩《ある》いている元太《げんた》が顎《あご》に手《て》を当《あ》てた。

「ん～、この部屋《へや》にあるのは確《たし》かなんだけどな」

「見《み》つけたわ」

厨房《ちゅうぼう》を見回《みまわ》しながら歩《ある》いていた灰原《はいばら》が立《た》ち止《ど》まった。

「どこですか⁉　灰原《はいばら》さん！」

光彦《みつひこ》たちが集《あつ》まってくると、灰原《はいばら》は厨房《ちゅうぼう》の奥《おく》を指差《ゆびさ》した。

「あの奥《おく》にあるワゴン。パーティー会場《かいじょう》にあったものと一緒《いっしょ》じゃないかしら」

「きっとそうだ！　みんな行《い》こうぜ‼」

子供《こども》たちがワゴンに向《む》かって駆《か》け出《だ》し、コナンも後《あと》に続《つづ》く。すると、コナンは途中《とちゅう》の床《ゆか》に何《なに》かが落《お》ちているのに気《き》づいた。立《た》ち止《ど》まって拾《ひろ》い上《あ》げると、それは脱《ぬ》ぎ捨《す》てられたホテルスタッフの男性用制服《だんせいようせいふく》だった。

（なんでこんなところに男物《おとこもの》の制服《せいふく》が……？）

コナンが制服《せいふく》をまじまじと見《み》ていると、

「江戸川君《えどがわくん》！」ワゴンに駆《か》けつけた灰原《はいばら》が呼《よ》んだ。

「ワゴンの中《なか》に鈴木会長《すずきかいちょう》はいないわ！」

ワゴンに掛《か》けられたクロスがめくられていたが、下段《げだん》には何《なに》もなかった。上段《じょうだん》にはホテルスタッフが言《い》っていた『ウナギの蒲焼《かばやき》とタレで蒸《む》したおこわ飯《めし》』が載《の》っていて、元太《げんた》は「すげーウマそう！」と目《め》を輝《かがや》かせる。

「証拠品《しょうこひん》ですから食《た》べちゃダメですよ」

と光彦《みつひこ》が注意《ちゅうい》するそばで、コナンはキョロキョロと辺《あた》りを見回《みまわ》した。すると、戸棚《とだな》の下段扉《げだんとびら》に茶色《ちゃいろ》い付着物《ふちゃくぶつ》を見《み》つけた。においを嗅《か》ぐと、香《こう》ばしい甘《あま》い香《かお》りがする。

「蒲焼《かばやき》のタレ……？」

こんなところにどうして蒲焼《かばやき》のタレが——不審《ふしん》に思《おも》ったコナンは、扉《とびら》を開《あ》けた。

すると——中《なか》には猿《さる》ぐつわをされた史郎《しろう》が体育座《たいいくずわ》りの恰好《かっこう》で押《お》し込《こ》まれていた。

「見《み》つけた……」

コナンの言葉《ことば》を聞《き》きつけて、子供《こども》たちが駆《か》け寄《よ》ってくる。

戸棚《とだな》に閉《と》じ込《こ》められた史郎《しろう》は、気《き》を失《うしな》っていた。


目《め》を覚《さ》ました史郎《しろう》は、ホテルの医務室《いむしつ》で診察《しんさつ》を受《う》けた後《あと》、目暮《めぐれ》たちから事情《じじょう》を訊《き》かれた。

「では、犯人《はんにん》の顔《かお》は？」

佐藤《さとう》がたずねると、目暮《めぐれ》と向《む》かい合《あ》わせで椅子《いす》に腰《こし》かけた史郎《しろう》は首《くび》を横《よこ》に振《ふ》った。

「見《み》てません。停電《ていでん》が起《お》きて……気《き》がついたら、目《め》の前《まえ》にこの子《こ》たちが……」

と、医務室《いむしつ》の扉《とびら》の近《ちか》くに立《た》つコナンたちに目《め》を向《む》ける。元太《げんた》、歩美《あゆみ》、光彦《みつひこ》は誇《ほこ》らしげにニッコリとほほ笑《え》んだ。

「オレたち少年探偵団《しょうねんたんていだん》のおかげだな！」

「ですね！」

「うんうん！」

目暮《めぐれ》の後《うし》ろに立《た》っていた高木《たかぎ》は「警部《けいぶ》」と呼《よ》びかけた。「三塚社長《みつづかしゃちょう》と同《おな》じ供述《きょうじゅつ》です」

子供《こども》たちの後《うし》ろにいたコナンは、高木《たかぎ》の言葉《ことば》を聞《き》き逃《のが》さなかった。

（つまり、三塚社長《みつづかしゃちょう》って人《ひと》も同《おな》じ目《め》にあったということか……）

スタンガンの光《ひかり》を見《み》たとコナンが証言《しょうげん》したとき、目暮《めぐれ》は『鈴木会長《すずきかいちょう》もスタンガンで拉致《らち》されたってことか？』と言《い》っていた。それはつまり、史郎《しろう》の前《まえ》にスタンガンで拉致《らち》された人《ひと》がいたということで、おそらくそれが三塚社長《みつづかしゃちょう》だったのだろう。

「三塚《みつづか》って……じゃあ、やっぱりあれは事件《じけん》だったんですか⁉」

高木《たかぎ》の言葉《ことば》を聞《き》いた史郎《しろう》が、身《み》を乗《の》り出《だ》してたずねる。

「えっと、いやぁ、ハハハ……どうだったかな……」

高木《たかぎ》が笑《わら》ってごまかすと、隣《となり》の佐藤《さとう》が「もぉ……」と顔《かお》を手《て》で覆《おお》った。

「ねえ、パパ。なんの話《はなし》？」

史郎《しろう》の背後《はいご》に立《た》っていた園子《そのこ》が訊《き》くと、史郎《しろう》は顔《かお》だけ園子《そのこ》の方《ほう》に向《む》けた。

「先週《せんしゅう》会《あ》った友達《ともだち》が急《きゅう》にいなくなった話《はなし》、覚《おぼ》えてるかい？」

「ああ、パパが最近《さいきん》よくゴルフコースを一緒《いっしょ》に回《まわ》ってる女性社長《じょせいしゃちょう》よね」

園子《そのこ》の言葉《ことば》に、隣《となり》の朋子《ともこ》がピクッと反応《はんのう》する。

「そうなの？　パパ」

「あ、いや。二人《ふたり》っきりではないからね」

史郎《しろう》は慌《あわ》てて弁明《べんめい》した。

「でも警察《けいさつ》が来《き》てすぐに、ゴルフ場《じょう》のトイレで見《み》つかったのよね？」

園子《そのこ》が言《い》うと、史郎《しろう》は「そう……」と下《した》を向《む》いた。

「だけど、彼女《かのじょ》はこのときのことは僕《ぼく》たちに何《なに》も話《はな》してくれなくて……今日《きょう》のパーティーも来《こ》なかったしね……」

史郎《しろう》の言葉《ことば》に、コナンは「あれ？」と首《くび》を傾《かし》げた。

「じゃあその三塚《みつづか》っていう女性社長《じょせいしゃちょう》さんの会社《かいしゃ》も、WSG《ダブルエスジー》東京《とうきょう》のスポンサーなの？」

「ああ、そうだよ」

コナンと灰原《はいばら》の背後《はいご》にある医務室《いむしつ》の扉《とびら》が少《すこ》しだけ開《あ》いていて、浮《う》かない顔《かお》をしたジョンが立《た》っていた。コナンと史郎《しろう》の会話《かいわ》を聞《き》くと、ジョンは扉《とびら》をそっと閉《し》めて、立《た》ち去《さ》っていった。


夕方《ゆうがた》。ホテルから戻《もど》ってきたコナンと子供《こども》たちは、そのまま阿笠博士《あがさはかせ》の家《いえ》に寄《よ》った。

「三塚映子《みつづかえいこ》。『三塚製菓《みつづかせいか》』の社長《しゃちょう》じゃな」

コナンたちから話《はなし》を聞《き》いた阿笠博士《あがさはかせ》は、リビングのソファに座《すわ》り、タブレットで三塚《みつづか》という女性社長《じょせいしゃちょう》を調《しら》べた。

「あ、オレ、このマーク知《し》ってる！」

ソファの後《うし》ろからタブレットを覗《のぞ》き込《こ》んだ元太《げんた》は、三塚社長《みつづかしゃちょう》が載《の》っているホームページのロゴマークを指差《ゆびさ》した。

「仮面《かめん》ヤイバーチョコレートにこのマークついてるからよ！」

「確《たし》かにヤイバーのお菓子製品《かしせいひん》は三塚製菓《みつづかせいか》が作《つく》っておるのぉ」

「そんなことより気《き》になるのが……」

阿笠博士《あがさはかせ》の右隣《みぎどなり》に座《すわ》ったコナンが言《い》いかけたとき、

「あ、見《み》て！　仮面《かめん》ヤイバーショーだって！」

歩美《あゆみ》がホームページに載《の》っているイベント情報《じょうほう》を見《み》つけた。

「ホントだ！　リニアが初《はじ》めて走《はし》る日《ひ》に、芝浜駅《しばはまえき》でやるみたいですね！」

「何《なに》それ！　超行《ちょうい》きてー!!」

ソファの背《せ》もたれに手《て》をかけた光彦《みつひこ》と元太《げんた》がもり上《あ》がると、

「残念《ざんねん》だけど、観覧《かんらん》の募集《ぼしゅう》はとっくに終《お》わったみたいよ」

阿笠博士《あがさはかせ》の左隣《ひだりどなり》に座《すわ》った灰原《はいばら》がそっけなく言《い》った。

確《たし》かにイベント告知欄《こくちらん》の一番下《いちばんした》に『観覧《かんらん》の募集《ぼしゅう》は終了《しゅうりょう》しました』と小《ちい》さく書《か》いてある。

「え〜〜〜！」「なんだよ！」「ショックです！」

子供《こども》たちがガッカリとうなだれる中《なか》、灰原《はいばら》は「そんなことより」と身《み》を乗《の》り出《だ》して阿笠《あがさ》博士《はかせ》の隣《となり》に座《すわ》るコナンを見《み》た。

「あなたが気《き》になってるのは、これね」

とタブレットの画面《がめん》を指差《ゆびさ》す。それはパーティーで見《み》たＷＳＧ東京《ダブルエスジーとうきょう》のロゴマークだった。

〝三塚製菓《みつづかせいか》は『ＷＳＧ東京《ダブルエスジーとうきょう》』を応援《おうえん》します〟という一文《いちぶん》の隣《となり》に表示《ひょうじ》されている。

コナンは「ああ」とうなずいた。

「この会社《かいしゃ》も鈴木会長《すずきかいちょう》の会社《かいしゃ》もＷＳＧ東京《ダブルエスジーとうきょう》のスポンサーだ。その会社《かいしゃ》のトップ二人《ふたり》が相次《あいつ》いで拉致《らち》された」

『これって、偶然《ぐうぜん》か……？』

工藤邸《くどうてい》の二階《にかい》の一室《いっしつ》で窓際《まどぎわ》に立《た》っていた沖矢昴《おきやすばる》のワイヤレスイヤホンから、コナンの声《こえ》が聞《き》こえてくる。

昴《すばる》は窓《まど》から隣《となり》の阿笠邸《あがさてい》を眺《なが》めながら、手《て》にした煙草《たばこ》を口《くち》に運《はこ》んだ。するとそのとき、ポケットに入《い》れたスマホのバイブレーションが鳴《な》った。

「……はい」

イヤホンを外《はず》した昴《すばる》が電話《でんわ》に出《で》ると、

『私《わたし》だ』

ＦＢＩ《エフビーアイ》捜査官《そうさかん》のジェイムズ・ブラックの落《お》ち着《つ》いた声《こえ》が聞《き》こえてきた。

『突然《とつぜん》だが、十五年前《じゅうごねんまえ》の〈ＷＳＧ連続拉致事件《ダブルエスジーれんぞくらちじけん》〉は知《し》ってるね？』

「もちろんです」

昴《すばる》はスマホを耳《みみ》に当《あ》てながら、煙草《たばこ》を灰皿《はいざら》に置《お》いた。

『あの忌《い》まわしい事件《じけん》が、今度《こんど》は東京《とうきょう》で起《お》きたかもしれん』

「ええ。そのようですね……」

窓《まど》から外《そと》を覗《のぞ》いた昴《すばる》は、細《ほそ》めている片目《かため》を見開《みひら》いた。

3

ヤイバーグッズを持参《じさん》した園子《そのこ》が阿笠邸《あがさてい》を訪《おとず》れたのは、数日後《すうじつご》のことだった。

リビングのテーブルとソファに置《お》かれた山盛《やまも》りのヤイバーグッズに、元太《げんた》たちが目《め》を輝《かがや》かせる。

「園子《そのこ》お姉《ねえ》さん！　このヤイバーグッズ、本当《ほんとう》に全部《ぜんぶ》もらえるんですか⁉」

「ヤイバーのスカーフもあったぜ！」

「フィギュアもあるよ！」

ヤイバーグッズに大《おお》はしゃぎする子供《こども》たちを見《み》て、園子《そのこ》は満足《まんぞく》そうに微笑《ほほえ》んだ。

「ぜーんぶ、みんなにプレゼントよ！　パパを見《み》つけてくれたお礼《れい》にね」

「よかったわね、みんな」

園子《そのこ》と一緒《いっしょ》に来《き》ていた蘭《らん》も、ニッコリとほほ笑《え》む。

「オレは遠慮《えんりょ》しとくわ……」

キッチンカウンターのスツールに座《すわ》っていたコナンがつぶやくと、

「私《わたし》も」並《なら》んで座《すわ》った灰原《はいばら》が、冷《さ》めた目《め》で子供《こども》たちを見《み》ながら言《い》った。すると、

「実《じつ》はあともう一《ひと》つありまして……ジャジャーン‼」

園子《そのこ》が顔《かお》の前《まえ》に六枚《ろくまい》の封筒《ふうとう》を扇《おうぎ》のように広《ひろ》げた。

「これはなーんでしょう!?」

と、封筒《ふうとう》の横《よこ》から顔《かお》を出《だ》す。

「何《なに》それー?」

「誰《だれ》かのお手紙《てがみ》ですか?」

光彦《みつひこ》の答《こた》えに、園子《そのこ》は「違《ちが》いまーす!」と首《くび》を横《よこ》に振《ふ》った。

「答《こた》え教《おし》えてくれよ!」

考《かんが》える気《き》のない元太《げんた》が答《こた》えを求《もと》めると、園子《そのこ》は「これはね〜」と意味《いみ》ありげに笑《わら》い、一《いち》枚《まい》の封筒《ふうとう》の中《なか》からカードを取《と》り出《だ》した。

「今《いま》、全国《ぜんこく》で募集《ぼしゅう》してる『真空超電導《しんくうちょうでんどう》リニア』に乗《の》れる、プラチナチケットでございまーす!」

開《ひら》いたカードには乗車《じょうしゃ》チケットが挟《はさ》まれていて、さらにリニアの立体模型《りったいもけい》が飛《と》び出《だ》す仕《し》掛《か》けになっていた。

「えーっ! すごーい!!」

「やるな、園子様《そのこさま》!」

「ありがとうございます!!」

子供《こども》たちがまたまた大喜《おおよろこ》びすると、

「喜《よろこ》ぶのはまだ早《はや》いわよ！」

園子《そのこ》はいつの間《ま》にかキッチンカウンターのスツールに腰《こし》かけていた。

「さすがの園子様《そのこさま》もこのチケット、手《て》に入《はい》ったのは六枚《ろくまい》だけなの……」

そう言《い》って、悲《かな》しげな顔《かお》をチケットで覆《おお》う。

「六枚《ろくまい》だけ……ってことは」

子供《こども》たちは顔《かお》を見合《みあ》わせると、その場《ば》にいる人《ひと》を数《かぞ》えはじめた。

「一《いち》、二《に》、三《さん》……」まず自分《じぶん》たちを数《かぞ》えて、園子《そのこ》、蘭《らん》、灰原《はいばら》、コナンと続《つづ》く。

「七人《しちにん》ですか……」

光彦《みつひこ》が言《い》うと、阿笠博士《あがさはかせ》が「いやいや」と自分《じぶん》を指差《ゆびさ》した。

「ワシを入《い》れて八人《はちにん》じゃ！」

「ちょっと待《ま》ってください！　八人《はちにん》ってことは二枚《にまい》足《た》りないです！」

光彦《みつひこ》の声《こえ》に、歩美《あゆみ》と元太《げんた》が「うんうん」とうなずく。すると、間髪《かんぱつ》を入《い》れずに園子《そのこ》が言《い》った。

「博士《はかせ》は大人《おとな》だから、辞退《じたい》が決《き》まってるわ」

「えっ!?　そんなぁ〜〜〜!!」

阿笠博士《あがさはかせ》はショックのあまり、キッチンカウンターの上《うえ》に突《つ》っ伏《ぷ》した。

「だから、あと一人《ひとり》！　乗《の》れない人《ひと》を決《き》めまーす!!」

園子《そのこ》の言葉《ことば》に、子供《こども》たちは「え〜〜〜!!」と非難《ひなん》の声《こえ》を上《あ》げた。

「どうやって決《き》めるんです!?」光彦《みつひこ》がたずねる。

「もちろん、博士《はかせ》お得意《とくい》のクイズでよ！」

元太《げんた》が「なんでだよ！」と突《つ》っ込《こ》むと、

「それが一番公平《いちばんこうへい》だからよ！」園子《そのこ》は即答《そくとう》した。「あんたたち、全《すべ》てがタダで手《て》に入《はい》るとは思《おも》わないように！」

元太《げんた》が「ケチ」とぼやくと、園子《そのこ》はピクッと顔《かお》をひきつらせた。キッチンカウンターに突《つ》っ伏《ぷ》していた阿笠博士《あがさはかせ》が、クイズと聞《き》いておもむろに立《た》ち上《あ》がる。

「まぁ、ワシも行《い》きたかったが、ここは仕方《しかた》あるまい。みんなのために……よし！　クイズじゃ!!」

すっかり立《た》ち直《なお》った阿笠博士《あがさはかせ》は、首《くび》に提《さ》げた笛《ふえ》をピーッと吹《ふ》いた。

「みんなが世界《せかい》で初《はじ》めて乗《の》る『真空超電導《しんくうちょうでんどう》リニア』じゃが、もうすでに乗《の》っている人《ひと》がおるぞ。さて、次《つぎ》の三人《さんにん》のうち誰《だれ》でしょう？　一《いち》、弁護士《べんごし》。二《に》、医師《いし》。三《さん》、宣教師《せんきょうし》」

灰原《はいばら》とコナンは、すぐに答《こた》えがわかったようだった。

「博士《はかせ》、問題《もんだい》が簡単《かんたん》すぎるわ」

「そうだな」

「なんじゃ、早《はや》いのォ……」

「リニアには乗《の》りたいし」灰原《はいばら》はそう言《い》うと、阿笠博士《あがさはかせ》に耳打《みみう》ちで解答《かいとう》した。コナンもそれに続《つづ》く。

「正解《せいかい》じゃ！」二人《ふたり》の答《こた》えを聞《き》いた阿笠博士《あがさはかせ》は、親指《おやゆび》を立《た》てた。けれど、コナンと灰原《はいばら》以外《いがい》は答《こた》えがわからないようだった。

「園子《そのこ》、わかった？」

「さっぱり」

「このクイズ、難《むずか》しいですよ！」

「全然《ぜんぜん》わっかんねぇー」

「ねぇ、ヒントちょうだい！」

歩美《あゆみ》が頼《たの》み込《こ》むと、スツールに腰《こし》かけた灰原《はいばら》は子供《こども》たちの方《ほう》を振《ふ》り返《かえ》った。

「じゃあ、ヒント。『超電導《ちょうでんどう》リニア』には、車体《しゃたい》を浮《う》き上《あ》がらせるために、すごく強《つよ》い磁《じ》石《しゃく》『超電導磁石《ちょうでんどうじしゃく》』が載《の》ってるのよ」

「それに弁護士《べんごし》、医師《いし》、宣教師《せんきょうし》を言《い》い換《か》えると、法律家《ほうりつか》、医者《いしゃ》、伝道師《でんどうし》になるよな？」

コナンが付《つ》け加《くわ》えると、蘭《らん》は「あ、わかった！」と答《こた》えがひらめいた。すぐに阿笠博士《あがさはかせ》に耳打《みみう》ちで答《こた》える。

「答《こた》えは三番《さんばん》……？」

「正解《せいかい》！」

「やったぁ！」

思《おも》わず両手《りょうて》を合《あ》わせて喜《よろこ》んだ蘭《らん》は、園子《そのこ》に白《しろ》い目《め》で見《み》られているのに気《き》づいた。

「ラ〜〜ン？」

「あ、ごめん……園子《そのこ》」

「さぁ、残《のこ》るチケットは三枚《さんまい》じゃ！」

阿笠博士《あがさはかせ》が三本指《さんぼんゆび》を立《た》てると、園子《そのこ》は子供《こども》たちに顔《かお》を近《ちか》づけて言《い》った。

「負《ま》けないわよ、ガキンチョども！　超電導《ちょうでんどう》リニアに乗《の》るのは、この園子様《そのこさま》だからね！」

子供《こども》たちは、むーっと頬《ほお》を膨《ふく》らます。

しかし実《じつ》は、ヒントを出《だ》してもらった時点《じてん》で、園子《そのこ》は答《こた》えがわかっていた。最初《さいしょ》から子《こ》供《ども》たちにチケットを譲《ゆず》るつもりでいたのだ。

「でも難《むずか》しいわねぇ。宣教師《せんきょうし》は伝道師《でんどうし》……宣教師《せんきょうし》は伝道師《でんどうし》……宣教師《せんきょうし》は……」

考《かんが》えるフリをして、チラリと子供《こども》たちを見《み》る。

子供《こども》たちは真剣《しんけん》な顔《かお》で、園子《そのこ》の言葉《ことば》を繰《く》り返《かえ》した。

「センキョウシは……」「デンドウシ……」

そして同時《どうじ》にハッと気《き》づく。光彦《みつひこ》は阿笠博士《あがさはかせ》の方《ほう》を向《む》いて、

「正解《せいかい》は伝道《でんどう》（電導《でんどう》）師《し》、つまり……」

「三番《さんばん》の宣教師《せんきょうし》！」

三人《さんにん》は声《こえ》を揃《そろ》えて答《こた》えた。

「大正解《だいせいかい》!!」

「やったぁ〜〜〜!!」

バンザイして大喜《おおよろこ》びする子供《こども》たちを見《み》て、園子《そのこ》はニッコリと笑《わら》った。


コナンたちが阿笠邸《あがさてい》を出《で》る頃《ころ》には陽《ひ》が落《お》ちて、空《そら》がうっすらと赤《あか》くなっていた。

たくさんのヤイバーグッズを抱《かか》えた子供《こども》たちがニコニコしながら玄関《げんかん》から出《で》てくる。

「ほんとラッキーだよね！」

「ええ、あのリニアに乗《の》れるなんてすごいですよ！」

「それにヤイバーグッズもこんなに……あー早《はや》く家《うち》に帰《かえ》って、父《とう》ちゃんと母《かあ》ちゃんに自慢《じまん》してぇ」

子供《こども》たちの後《うし》ろを歩《ある》いていたコナンは、隣《となり》の工藤邸《くどうてい》の前《まえ》に停《と》まっている車《くるま》――赤《あか》のスバル360に気《き》づいた。

「あ、ヤベェ。博士《はかせ》んちにスマホを忘《わす》れてきたみたいだ。探《さが》すとなると時間《じかん》かかるから、先《さき》に帰《かえ》っててくれ」

「じゃあ、またですね！」「またねー」「またなー！」

子供《こども》たちはヤイバーグッズを抱《かか》えながら駆《か》けていき、

「私《わたし》たちも世良《せら》ちゃんと約束《やくそく》あるから」

「おっ先《さき》～！」

蘭《らん》と園子《そのこ》も手《て》を振《ふ》って歩《ある》いていく。

皆《みな》がいなくなってから、コナンはスバル360に近《ちか》づいていった。

「何《なに》か用《よう》？」

声《こえ》をかけると、運転席《うんてんせき》の昴《すばる》は窓枠《まどわく》に腕《うで》を乗《の》せて顔《かお》を出《だ》した。

「君《きみ》とドライブに行《い》きたくてね。一緒《いっしょ》に行《い》ってくれるかな、ボウヤ」

その有無《うむ》を言《い》わせない笑顔《えがお》に、コナンは黙《だま》ってうなずき、助手席《じょしゅせき》に乗《の》り込《こ》んだ。

「出《だ》します」

昴《すばる》の車《くるま》が発進《はっしん》すると、やや離《はな》れていたところに停《と》まっていたベンツも動《うご》き出《だ》した。運転席《うんてんせき》にはＦＢＩ《エフビーアイ》捜査官《そうさかん》のアンドレ・キャメル、助手席《じょしゅせき》にはジョディ・スターリングが乗《の》っている。

「頼《たの》む」さらに後部座席《こうぶざせき》にはジェイムズが座《すわ》っていた。

昴《すばる》の車《くるま》を目《め》で追《お》っていたジョディは、ふいに持《も》っていた雑誌《ざっし》に目《め》を落《お》とした。それは、ＷＳＧ《ダブルエスジー》東京《とうきょう》のガイドブックだった。

「WSG《ダブルエスジー》東京《とうきょう》のスポンサー、それが共通点《きょうつうてん》だよね。ゴルフの最中《さいちゅう》にいなくなった三塚社長《みつづかしゃちょう》と、パーティーの最中《さいちゅう》にさらわれた鈴木会長《すずきかいちょう》の」

走《はし》る車《くるま》の中《なか》でコナンが話《はなし》を切《き》り出《だ》すと、昴《すばる》は前《まえ》を見《み》ながら、ほぉ……と感心《かんしん》の声《こえ》を上《あ》げた。

「十五年前《じゅうごねんまえ》、アメリカでも同《おな》じような事件《じけん》があったでしょ」

「！」昴《すばる》は驚《おどろ》いて思《おも》わずコナンを見《み》た。

「やっぱりそうか。こうやってFBI《エフビーアイ》が動《うご》き出《だ》したのを見《み》たらさ」

昴《すばる》の方《ほう》を見《み》てニヤリとしたコナンは、ルームミラーに視線《しせん》を移《うつ》した。ミラーには尾行《びこう》するキャメルの車《くるま》が映《うつ》っている。

「さすがだな」

「ネットで調《しら》べたんだけど……」

コナンはそう言《い》って、スマホであるネット記事《きじ》を表示《ひょうじ》した。

「十五年前《じゅうごねんまえ》にアメリカでWSG《ダブルエスジー》ボストン冬季大会《とうきたいかい》が開《ひら》かれる直前《ちょくぜん》、そのスポンサーのトップが相次《あいつ》いで拉致《らち》されてるよね？　一人目《ひとりめ》はアトランタにある日系《にっけい》のお菓子《かし》メーカーのトップ。二人目《ふたりめ》はシカゴにある財閥企業《ざいばつきぎょう》のトップ。三人目《さんにんめ》はデトロイトにある自動車《じどうしゃ》メーカーのトップ」

記事《きじ》にはそれぞれ被害者《ひがいしゃ》たちの顔写真《かおじゃしん》が掲載《けいさい》されていた。一人目《ひとりめ》は日系《にっけい》の紳士《しんし》、二人目《ふたりめ》は白人《はくじん》の老紳士《ろうしんし》、そして三人目《さんにんめ》は黒人《こくじん》の紳士《しんし》だ。

「事件《じけん》が複数《ふくすう》の州《しゅう》で起《お》きたから、捜査《そうさ》はＦＢＩ《エフビーアイ》が担当《たんとう》した。でも、自力《じりき》で犯人《はんにん》から逃《に》げ出《だ》した三人目《さんにんめ》の被害者《ひがいしゃ》が、モノレールの駅《えき》で撃《う》ち殺《ころ》された」

昴《すばる》の車《くるま》を尾行《びこう》するキャメルの車《くるま》でも、十五年前《じゅうごねんまえ》の事件《じけん》について話《はな》し合《あ》っていた。

「その後《ご》、一人目《ひとりめ》と二人目《ふたりめ》の被害者《ひがいしゃ》は無事解放《ぶじかいほう》されたが……なぜか彼《かれ》らは犯人《はんにん》に関《かん》して口《くち》をつぐみ、捜査《そうさ》への協力《きょうりょく》を拒《こば》んだ」

後部座席《こうぶざせき》のジェイムズが神妙《しんみょう》な面持《おもも》ちで語《かた》ると、助手席《じょしゅせき》のジョディがちらりと振《ふ》り返《かえ》る。

「犯人《はんにん》は日本人《にっぽんじん》だったとか」

ジェイムズは、うむ、とうなずいた。

「ボストンで寿司職人《すししょくにん》をしていた『石原誠《いしはらまこと》』という男《おとこ》だ。彼《かれ》は被害者《ひがいしゃ》たちが参加《さんか》していたＷＳＧ《ダブルエスジー》ボストンのパーティーにいた。さらに、三人目《さんにんめ》の被害者《ひがいしゃ》が撃《う》たれたときも彼《かれ》は近《ちか》くにいた。そして、後《のち》に見《み》つかった凶器《きょうき》の拳銃《けんじゅう》からも彼《かれ》の指紋《しもん》が検出《けんしゅつ》されている。だが、ＦＢＩ《エフビーアイ》に逮捕《たいほ》された石原《いしはら》は犯行《はんこう》を否認《ひにん》したらしい」

ジョディは「え？」と再《ふたた》び後部座席《こうぶざせき》を振《ふ》り返《かえ》った。

「犯行動機《はんこうどうき》はＷＳＧ《ダブルエスジー》の商業化《しょうぎょうか》に抗議《こうぎ》するテロだったと聞《き》いてますが……」

ジェイムズは無言《むごん》で小《ちい》さくうなずいた。

「トップが拉致《らち》された会社《かいしゃ》がその後《ご》すぐＷＳＧ《ダブルエスジー》のスポンサーを降《お》りたため、そう思《おも》われている」

昴《すばる》の車《くるま》は片側三車線《かたがわさんしゃせん》の大通《おおどお》りに出《で》た。追《お》い越《こ》し車線《しゃせん》を走《はし》りながらルームミラーを見《み》ると、一定《いってい》の距離《きょり》を保《たも》ちながら同《おな》じ車線《しゃせん》を走行《そうこう》するキャメルの車《くるま》が映《うつ》っている。

昴《すばる》はハンドルを握《にぎ》りながら、話《はなし》を続《つづ》けた。

「スポンサーを降《お》りた会社《かいしゃ》は、アメリカ中《じゅう》から非難《ひなん》された」

「テロに屈《くっ》した人《ひと》たちには、アメリカは厳《きび》しいからね」

コナンはそう言《い》うと、スマホである人物《じんぶつ》のインターネット百科事典《ひゃっかじてん》ページを開《ひら》いて、昴《すばる》に見《み》せた。

「あと、その当時《とうじ》のＦＢＩ《エフビーアイ》長官《ちょうかん》を調《しら》べたらこの人《ひと》だったんだけど……昴《すばる》さんは知《し》ってるよね？」

それは、パーティーでコメント映像《えいぞう》が流《なが》れた国際《こくさい》ＷＳＧ《ダブルエスジー》協会会長《きょうかいかいちょう》だった。昴《すばる》はスマホに表示《ひょうじ》された顔写真《かおじゃしん》を一瞥《いちべつ》すると、すぐに前《まえ》を向《む》く。

「アラン・マッケンジー。次期大統領候補《じきだいとうりょうこうほ》ともいわれている人物《じんぶつ》だな」

「そう……今《いま》は国際《こくさい》ＷＳＧ《ダブルエスジー》協会《きょうかい》の会長《かいちょう》さんで、もうすぐ日本《にっぽん》に来《く》る」

「気《き》になるのか？」

昴《すばる》がたずねると、コナンはスマホをポケットに入《い》れた。

「だって、十一年前《じゅういちねんまえ》にも同《おな》じようなことがアメリカで起《お》きてるよね？」

「……ああ。十五年前《じゅうごねんまえ》の事件《じけん》の模倣犯《もほうはん》だ」

「調《しら》べたら、それもあのアランさんがＦＢＩ長官《エフビーアイちょうかん》をしていたときの出来事《できごと》だったよね」

コナンがそう言《い》って顎《あご》に手《て》を当《あ》てて考《かんが》え込《こ》むと、昴《すばる》は「だが」と口《くち》を開《ひら》いた。

「そっちは死人《しにん》が出《で》る前《まえ》に、ＦＢＩ《エフビーアイ》が犯人《はんにん》を逮捕《たいほ》している。そいつは自分《じぶん》が模倣犯《もほうはん》だと認《みと》めた上《うえ》、共犯者《きょうはんしゃ》についても自白《じはく》した。ＦＢＩ《エフビーアイ》はその模倣犯《もほうはん》が今《いま》また東京《とうきょう》に現《あらわ》れたと思《おも》っている」

模倣犯《もほうはん》と聞《き》いて、コナンは三塚製菓《みつづかせいか》の女性社長《じょせいしゃちょう》と鈴木財閥《すずきざいばつ》の史郎《しろう》を思《おも》い浮《う》かべた。

「確《たし》かに、今回《こんかい》も一人目《ひとりめ》の被害者《ひがいしゃ》はお菓子《かし》メーカーのトップ。二人目《ふたりめ》の被害者《ひがいしゃ》は財閥系企業《ざいばつけいきぎょう》のトップ。十五年前《じゅうごねんまえ》と同《おな》じだ」

「だとすると、三人目《さんにんめ》のターゲットは自動車《じどうしゃ》メーカーのトップということか……」

昴《すばる》は前《まえ》を向《む》いたままつぶやくように言《い》うと、ニコリと笑《え》みを向《む》けた。

「ありがとう、ボウヤ」

街中《まちなか》を颯爽《さっそう》と走《はし》る車《くるま》の右手《みぎて》にはＷＳＧ東京《ダブルエスジーとうきょう》のフラッグ広告《こうこく》が等間隔《とうかんかく》に並《なら》び、やがて前方《ぜんぽう》に芝浜駅《しばはまえき》が見《み》えてきた。

園子《そのこ》たちと別《わか》れた後《あと》、スーパーで買《か》い物《もの》をすませた蘭《らん》は、自宅《じたく》に向《む》かっていた。自宅《じたく》と探偵事務所《たんていじむしょ》があるビルに着《つ》くと、階段《かいだん》からスーツ姿《すがた》の黒人男性《こくじんだんせい》が下《お》りて来《き》た。何《なに》やら思《おも》いつめた表情《ひょうじょう》をして蘭《らん》の前《まえ》を横切《よこぎ》り、道路脇《どうろわき》に停《と》めた高級車《こうきゅうしゃ》に乗《の》り込《こ》んでいく。

「お父《とう》さんにお客《きゃく》さん？　あれ？　今《いま》の人《ひと》、どこかで……」

見《み》たような気《き》がする――蘭《らん》が考《かんが》え込《こ》んでいるうちに、高級車《こうきゅうしゃ》は走《はし》り去《さ》っていった。

ビルから出《で》てきた黒人男性《こくじんだんせい》は、パーティーで史郎《しろう》と一緒《いっしょ》にいたジョンだった。

「ジョン・ボイドさんは『日本《にっぽん》コード』取締役社長兼《とりしまりやくしゃちょうけん》CEO《シーイーオー》で、最近《さいきん》はメディアにも取《と》り上《あ》げられている有名《ゆうめい》な人《ひと》だよ」

帰《かえ》ってきたコナンは探偵事務所《たんていじむしょ》の応接《おうせつ》セットでノートパソコンを開《ひら》き、「日本《にっぽん》コード」のホームページを蘭《らん》に見《み》せた。

「へぇー、お父《とう》さん、すごい人《ひと》と会《あ》ってたのね！」

コナンの隣《となり》に座《すわ》った蘭《らん》は、ノートパソコンから目《め》を離《はな》してデスクの小五郎《こごろう》を見《み》た。

「でもこんな小《ちい》さい事務所《じむしょ》に、いったいなんの用事《ようじ》で来《き》たんだろう？」

首《くび》を傾《かし》げる蘭《らん》の隣《となり》で、コナンは日本《にっぽん》コードのホームページを見《み》た。

（日本《にっぽん》コードというのは、以前《いぜん》、倒産《とうさん》しそうになったタカラ自動車《じどうしゃ》がイギリスの自動車《じどうしゃ》メーカー・コードの傘下《さんか》に入《はい》って、名前《なまえ》をかえた会社《かいしゃ》だ……）

そこまで考《かんが》えて、コナンはふと昴《すばる》の言葉《ことば》を思《おも》い出《だ》した。

――三人目《さんにんめ》のターゲットは自動車《じどうしゃ》メーカーのトップということか……。

十五年前《じゅうごねんまえ》の事件《じけん》と同《おな》じく、今回《こんかい》の一人目《ひとりめ》の被害者《ひがいしゃ》はお菓子《かし》メーカーのトップで、二人目《ふたりめ》は財閥系企業《ざいばつけいきぎょう》のトップだ。もし、今回《こんかい》の事件《じけん》が十五年前《じゅうごねんまえ》の事件《じけん》の模倣犯《もほうはん》だとしたら――。

（次《つぎ》に狙《ねら》われるのは、この人《ひと》か……？）

コナンはホームページに掲載《けいさい》されたジョンの写真《しゃしん》を見《み》つめた。コード車《しゃ》の前《まえ》で腕《うで》を組《く》むジョンは、パーティーで見《み》かけた強張《こわば》った表情《ひょうじょう》ではなく、堂々《どうどう》たる笑《え》みを浮《う》かべていた。


都内《とない》のとあるシティホテルの客室《きゃくしつ》で、メアリー・世良《せら》はジョン・ボイドに関《かん》する資料《しりょう》を読《よ》んでいた。その顔色《かおいろ》は相変《あいか》わらず悪《わる》く、ときおりゴホゴホと咳《せき》をする。

カチャ、と鍵《かぎ》が開《あ》く音《おと》がして、メアリーはドアの方《ほう》を振《ふ》り返《かえ》った。

「ただいま」

ドアが開《あ》いて、世良真純《せらますみ》が入《はい》ってくる。

「真純《ますみ》、届《とど》いたぞ」

メアリーはライティングデスクに置《お》いてあったチケットを真純《ますみ》に渡《わた》した。

「ターゲットが乗《の》るリニアだ」

「さすが、ママ。実《じつ》はさっき蘭君《らんくん》に聞《き》いたんだけど、これにコナン君《くん》も乗《の》るらしいよ」

真純《ますみ》が受《う》け取《と》ったチケットを見《み》せてニヤッと笑《わら》うと、メアリーは眉《まゆ》をひそめた。

「あの少年《しょうねん》が？」

するとそのとき、真純《ますみ》のスマホが小《ちい》さく震《ふる》え出《だ》した。表示《ひょうじ》を見《み》ると、

「あ、吉兄《きちにい》だ。——もしもし吉兄《きちにい》、どうしたの？」

電話《でんわ》に出《で》た真純《ますみ》は、そばのベッドに腰《こし》を下《お》ろした。

『今度《こんど》、七月二十四日《しちがつにじゅうよっか》に仕事《しごと》で名古屋《なごや》に行《い》くことになったから、お土産何《みやげなに》がいいかなと思《おも》って』

真純《ますみ》は「えっ？」と驚《おどろ》いた。「吉兄《きちにい》もその日《ひ》、名古屋《なごや》にいるの⁉」

ライティングデスクで資料《しりょう》を読《よ》んでいたメアリーが振《ふ》り返《かえ》り、ジロリと真純《ますみ》をにらむ。

『真純《ますみ》も？　じゃあせっかくだから名古屋《なごや》で会《あ》おうよ』

そのとき、電話《でんわ》の向《む》こうでコンコン、とノックする音《おと》がした。

『あ……じゃあ名古屋《なごや》に着《つ》いたら連絡《れんらく》するね。じゃ、切《き》るよ！』

「あ、吉兄《きちにい》ちょっと！　名古屋《なごや》で会《あ》ってる時間《じかん》ないって！」

真純《ますみ》が慌《あわ》てて言《い》ったが、その前《まえ》に電話《でんわ》を切《き》られてしまった。「もぉ〜吉兄《きちにい》！」

真純《ますみ》をにらんでいたメアリーは軽《かる》いため息《いき》をつくと、呟《せ》き込《こ》みながら再《ふたた》び資料《しりょう》に目《め》を移《うつ》

した。

東京《とうきょう》・千駄ヶ谷《せんだがや》にある将棋会館《しょうぎかいかん》の前《まえ》に、一台《いちだい》のタクシーが停《と》まっていた。

後部座席《こうぶざせき》に座《すわ》った羽田秀吉《はねだしゅうきち》がスマホで妹《いもうと》の真純《ますみ》と話《はな》していると、コンコン、と誰《だれ》かが窓《まど》をノックした。慌《あわ》てて車《くるま》の窓《まど》を開《あ》けると、

「ここ、駐車禁止《ちゅうしゃきんし》ですよ」

「すみません……あ♥」

窓《まど》の外《そと》に立《た》っていたのは、恋人《こいびと》で女性警察官《じょせいけいさつかん》の宮本由美《みやもとゆみ》だった。

「由美《ゆみ》タ……ぁぁン!?」

由美《ゆみ》はいきなり秀吉《しゅうきち》の頬《ほお》をギュウウウウッとつねりあげた。

「さすが太閤名人《たいこうめいじん》、秀吉《ひでよし》ばりに新《あたら》しい女《おんな》に浮気電話《うわきでんわ》かよ。このハゲネズミ!!」

「ち、違《ちが》うよ！」

「じゃあ誰《だれ》よ!?　私《わたし》に気《き》づいて慌《あわ》てて切《き》った電話《でんわ》の相手《あいて》！」

由美《ゆみ》がつねる手《て》を離《はな》すと、秀吉《しゅうきち》は少《すこ》し困《こま》ったように目《め》をそらした。そして、

「……わかった。ちゃんと由美《ゆみ》タンにも紹介《しょうかい》するから」

ほんのり頬《ほお》を染《そ》めつつも真剣《しんけん》な眼差《まなざ》しを向《む》ける。

「は？」

訳《わけ》のわからない由美《ゆみ》は、怪訝《けげん》そうに眉《まゆ》をひそめた。

「夕飯《ゆうはん》の準備《じゅんび》できたわよー！」

蘭《らん》に呼《よ》ばれてコナンと小五郎《こごろう》がリビングに入《はい》ってくると、テーブルにはおいしそうな料理《りょうり》が並《なら》んでいた。今日《きょう》のメニューは、トンカツと味噌汁《みそしる》だ。

「いただきます！」

テーブルについた三人《さんにん》は両手《りょうて》を合《あ》わせて、食《た》べはじめた。

「トンカツうめぇ～」

「蘭姉《らんねえ》ちゃん、テレビつけてもいい？」

「いいわよ」

コナンがリモコンでテレビをつけると、ニュース番組《ばんぐみ》をやっていた。

『次《つぎ》のニュースはみんな大注目《だいちゅうもく》!!　真空超電導《しんくうちょうでんどう》リニアについてです！』

ちょうど話題《わだい》が変《か》わって、映像《えいぞう》がスタジオに切《き》り替《か》わった。〈真空超電導《しんくうちょうでんどう》リニア開業《かいぎょう》まであと一《いっ》か月《げつ》〉というテロップが入《はい》り、並《なら》んで座《すわ》る男女《だんじょ》キャスターの背後《はいご》にテスト走行《そうこう》するリニアが映《うつ》る。

『ついに完成《かんせい》しましたね』

『しかも、この乗《の》り物《もの》の最高時速《さいこうじそく》は1000キロにも到達《とうたつ》するそうです』

『まさに異次元《いじげん》の速《はや》さですね！』

『そしてスピードは拳銃《けんじゅう》の銃弾《じゅうだん》の速度《そくど》に匹敵《ひってき》するため、世界《せかい》では通称《つうしょう》〈ジャパニーズ・ブレット〉と呼《よ》ばれています』

小五郎《こごろう》は味噌汁《みそしる》を飲《の》みながら、テレビをチラリと見《み》た。

「すごいねー。私《わたし》たち、これに乗《の》るんだよ」

蘭《らん》が嬉《うれ》しそうに言《い》った瞬間《しゅんかん》、小五郎《こごろう》は味噌汁《みそしる》のお椀《わん》を落《お》とした。小五郎《こごろう》のシャツに味噌《みそ》汁《しる》がかかって、お椀《わん》が床《ゆか》に転《ころ》がる。

「お父《とう》さん、大丈夫《だいじょうぶ》!?」

「蘭《らん》、座《すわ》ってろ！　おいボウズ、テレビ消《け》せ！」

「……わかった」

コナンがテレビを消《け》すと、小五郎《こごろう》は拾《ひろ》い上《あ》げた箸《はし》とお椀《わん》を勢《いきお》いよくテーブルに置《お》いた。

「お前《まえ》ら、リニアに乗《の》るのか!?」

口元《くちもと》に米粒《こめつぶ》をつけた小五郎《こごろう》が、いつになく真剣《しんけん》な表情《ひょうじょう》になってたずねる。

「だったらなんなの？　いいからすぐにシャツ脱《ぬ》いで！」

「いつ乗《の》るんだ!?」

「まったくもぉ～」

蘭《らん》が立《た》ち上《あ》がって小五郎《こごろう》のところへ行《い》こうとすると、

「初走行《はつそうこう》の日《ひ》だよ。WSG《ダブルエスジー》東京《とうきょう》の開会式《かいかいしき》の日《ひ》」とコナンが答《こた》えた。

「何《なに》!?」

「お父《とう》さん、万歳《ばんざい》して」

蘭《らん》は再《ふたた》び立《た》ち上《あ》がり、驚《おどろ》いている小五郎《こごろう》の後《うし》ろからシャツの裾《すそ》をつかんだ。素直《すなお》に両手《りょうて》を上げた小五郎《こごろう》のシャツを引《ひ》っ張《ぱ》り上《あ》げて脱《ぬ》がす。

「うあっぷ！」

「本当《ほんとう》は熱《あつ》かったんでしょ？　カッコつけて我慢《がまん》しなくていいんだから！」

「……汚《よご》してスミマセン……」

上半身裸《じょうはんしんはだか》になった小五郎《こごろう》は、ばつが悪《わる》そうに肩《かた》をすくめる。

「ねえ、おじさん」

コナンが声《こえ》をかけると、小五郎《こごろう》は「なんだ？」と振《ふ》り返《かえ》った。

「もしかして、そのリニアにジョンさんも乗《の》るの？」

ジョンが毛利探偵事務所《もうりたんていじむしょ》を訪《おとず》れた理由《りゆう》を、コナンは考《かんが》えていた。WSG《ダブルエスジー》東京《とうきょう》の開会式《かいかいしき》の日《ひ》に蘭《らん》とコナンがリニアに乗《の》ることを知《し》った小五郎《こごろう》の反応《はんのう》を見《み》て、ピンと来《き》たのだ。

パーティーのとき女性司会者《じょせいしかいしゃ》が、リニアに乗《の》るのはWSG《ダブルエスジー》東京《とうきょう》のスポンサーだと言《い》っていた。日本《にっぽん》コードのトップであるジョンも、WSG《ダブルエスジー》東京《とうきょう》のスポンサーの一人《ひとり》だ。

「だから、ジョンさんはおじさんに何《なに》かを依頼《いらい》しに来《き》た——違《ちが》う？」

図星《ずぼし》を指《さ》された小五郎《こごろう》は、うぐっ、と言葉《ことば》を詰《つ》まらせた。

「ねえ、どういうこと？」

訳《わけ》がわからない蘭《らん》は、小五郎《こごろう》とコナンの顔《かお》を交互《こうご》に見《み》る。

「おじさん。そのリニアにはボクの友達《ともだち》も乗《の》るんだ。もし危険《きけん》なことが起《お》こるなら……」

「いや！　そんな危険《きけん》なことにはならないはずだ！」

と言《い》い切《き》った小五郎《こごろう》は、すぐに「とは思《おも》うが……」と視線《しせん》を落《お》とした。

「まあ、拉致《らち》された二人《ふたり》は無事《ぶじ》に戻《もど》ったって言《い》ってたし……」

「つまり、今度《こんど》はジョンさんがリニアで拉致《らち》されるかもしれないんだね？」

コナンに言《い》い当《あ》てられた小五郎《こごろう》は、ギクリと顔《かお》を上《あ》げた。

「え⁉　大変《たいへん》！　警察《けいさつ》に言《い》わないと！」

「待《ま》て！」小五郎《こごろう》はポケットから携帯電話《けいたいでんわ》を取《と》り出《だ》した蘭《らん》の手首《てくび》をつかんだ。

「警察《けいさつ》には言《い》わないってのが依頼人《いらいにん》との約束《やくそく》だ！」

「そんなこと言《い》ってる場合《ばあい》じゃ——」

「二人《ふたり》が拉致《らち》されたのはジョン社長《しゃちょう》のせいかもしれないんだ！」

コナンが「⁉」と目《め》を見開《みひら》く。

小五郎《こごろう》は蘭《らん》の手《て》を放《はな》すと、テーブルに両手《りょうて》を置《お》いた。

「本人《ほんにん》が言《い》ったんだ。バーで酔《よ》って隣《となり》にいた男《おとこ》の客《きゃく》に、三塚社長《みつづかしゃちょう》とゴルフに行《い》くことと、このいだのパーティーに鈴木会長《すずきかいちょう》が出席《しゅっせき》することを喋《しゃべ》ってしまったかもしれないって。もし……もしこんなことが公《おおやけ》になったら、会社《かいしゃ》のイメージダウンは避《さ》けられない」

「イメージダウンって……」

そんなまさか、と言《い》いたげな蘭《らん》に、小五郎《こごろう》は真面目《まじめ》な顔《かお》を向《む》けた。

「今《いま》はなんの利害関係《りがいかんけい》もない赤《あか》の他人《たにん》が束《たば》になって、人《ひと》を追《お》い詰《つ》める時代《じだい》だ」

確《たし》かにそうかもしれない——無言《むごん》で小《ちい》さくうなずくコナンの頭《あたま》に、昴《すばる》の言葉《ことば》が浮《う》かぶ。

——スポンサーを降《お》りた会社《かいしゃ》は、アメリカ中《じゅう》から非難《ひなん》された。

十五年前《じゅうごねんまえ》の日系《にっけい》のお菓子《かし》メーカーのように、日本《にっぽん》コードも日本中《にっぽんじゅう》から責《せ》め立《た》てられるかもしれないのだ。

「だから、ジョンさんはお父《とう》さんに依頼《いらい》を？」

「ああ。本当《ほんとう》に自分《じぶん》のせいか調《しら》べてくれ、それがはっきりするまで警察《けいさつ》には言《い》わないでくれってな」

小五郎《こごろう》はそう言《い》うと腰《こし》を上《あ》げ、脱《ぬ》いだシャツを手《て》に取《と》った。

「洗面所《せんめんじょ》行《い》ってくる。味噌汁《みそしる》すまなかったな」

「あっためなおすから！」

洗面所《せんめんじょ》の扉《とびら》がパタンと閉《し》まり、蘭《らん》はコナンに向《む》き直《なお》った。

「コナン君《くん》、子供《こども》たちがリニアに乗《の》るのを止《と》めないと！」

「うん」

とうなずいたものの、コナンは子供《こども》たちをどうやって説得《せっとく》すべきか悩《なや》んだ。

（アイツらあんなに喜《よろこ》んでたし、他《ほか》に何《なに》か手《て》が……）

リニア以外《いがい》のものに目《め》を向《む》けさせればいいのだが、子供《こども》たちがリニア以上《いじょう》に興味《きょうみ》があるものなんて――そこまで考《かんが》えたとき、拳《こぶし》を突《つ》き上《あ》げる仮面《かめん》ヤイバーの姿《すがた》がコナンの頭《あたま》に浮《う》かんだ。

（……!!）

ひらめいたコナンは、思《おも》わず右手《みぎて》の拳《こぶし》を握《にぎ》りしめてニヤリと笑《わら》う。そんな姿《すがた》を見《み》て、蘭《らん》は首《くび》を傾《かし》げた。


都内《とない》の一等地《いっとうち》にある日本《にほん》WSG《ダブルエスジー》協会《きょうかい》ビル。その外観《がいかん》にはWSG《ダブルエスジー》マークとWSG《ダブルエスジー》東京《とうきょう》のロゴが掲《かか》げられ、ビル内《ない》の講堂《こうどう》には五百人《ごひゃくにん》ほどの老若男女《ろうにゃくなんにょ》が集《あつ》まっていた。

コナン、蘭《らん》、灰原《はいばら》、そして元太《げんた》ら子供《こども》たちは、階段状《かいだんじょう》の座席《ざせき》の中央辺《ちゅうおうあた》りで横一列《よこいちれつ》に座《すわ》った。

「すっげえ人《ひと》だな！」

「日本中《にっぽんじゅう》の人《ひと》が応募《おうぼ》しましたから！」

「私《わたし》たち、ラッキーだね♪」

子供《こども》たちが満席《まんせき》になった座席《ざせき》を見回《みまわ》していると、ステージに二人《ふたり》の女性《じょせい》と一人《ひとり》の男性《だんせい》が出《で》てきた。女性《じょせい》は芝浜《しばはま》ビューホテルのパーティーで司会《しかい》をしていた二人《ふたり》だ。

「本日《ほんじつ》はお集《あつ》まりいただき誠《まこと》にありがとうございます。ただいまより真空超電導《しんくうちょうでんどう》リニアの体験乗車及《たいけんじょうしゃおよ》びWSG《ダブルエスジー》東京開会式《とうきょうかいかいしき》の説明会《せつめいかい》を始《はじ》めさせていただきます」

客席《きゃくせき》から拍手《はくしゅ》が湧《わ》き上《あ》がり、ステージの三人《さんにん》はお辞儀《じぎ》をした。

「最初《さいしょ》に自己紹介《じこしょうかい》をさせてください。まず私《わたし》は日本《にほん》WSG《ダブルエスジー》協会《きょうかい》の広報担当《こうほうたんとう》をしています、白鳩舞子《しらはとまいこ》です」

スーツ姿《すがた》の小柄《こがら》な女性《じょせい》が自己紹介《じこしょうかい》すると、ステージの大型《おおがた》モニターに女性《じょせい》の姿《すがた》と『日本《にほん》WSG《ダブルエスジー》協会《きょうかい》・広報《こうほう》　白鳩舞子《しらはとまいこ》』の文字《もじ》が映《うつ》し出《だ》された。

「開会式《かいかいしき》で皆《みな》さんの案内《あんない》をさせていただきます。『白《しろ》い鳩《はと》が舞《ま》う』とでも覚《おぼ》えてくださいね」

舞子《まいこ》はそう言《い》ってニッコリとほほ笑《え》む。

モニターに表示《ひょうじ》された名前《なまえ》を見《み》て、光彦《みつひこ》は「あれ？」と灰原《はいばら》に顔《かお》を向《む》けた。

「白鳩《しらはと》って確《たし》か、灰原《はいばら》さんのお父《とう》さんが勤《つと》めてた製薬会社《せいやくがいしゃ》も……」

「あれは〝しろはと〟製薬《せいやく》。〝しらはと〟じゃないから関係《かんけい》ないんじゃない？」

灰原《はいばら》は答《こた》えると、再《ふたた》び前《まえ》を向《む》いた。

「続《つづ》いては、リニアスタッフ組《ぐみ》の紹介《しょうかい》です」

ステージの舞子《まいこ》の声《こえ》で、三人《さんにん》の真《ま》ん中《なか》に立《た》っている太《ふと》った男性《だんせい》が一歩《いっぽ》前《まえ》に出《で》た。

「あ、えーと……ぼ、僕《ぼく》は真空超電導《しんくうちょうでんどう》リニアの開発《かいはつ》チーフエンジニア、井上治《いのうえおさむ》です」

眼鏡《めがね》をかけた井上《いのうえ》は、中分《なかわ》けにした伸《の》びかけの髪《かみ》が野暮《やぼ》ったい印象《いんしょう》を与《あた》える。

「えーっと、どうやって覚《おぼ》えてもらおうかな……『いのうえおさむ』だから……」

井上《いのうえ》が髪《かみ》をかき分《わ》けながら考《かんが》えていると、リニア乗務員《じょうむいん》の制服《せいふく》を着《き》た女性《じょせい》が「井上《いのうえ》さん、早《はや》く進《すす》めて」と小声《こごえ》でせかす。

「あ、はい……」井上《いのうえ》は慌《あわ》てて客席《きゃくせき》の方《ほう》に向《む》き直《なお》った。「僕《ぼく》は、安全《あんぜん》に走《はし》るためのプログラミングをしていて、試乗会《しじょうかい》では皆《みな》さんに、リニアの技術的《ぎじゅってき》な説明《せつめい》をさせてもらいます。

それと……」

「はい、おしまい！」

制服姿《せいふくすがた》の女性《じょせい》は強引《ごういん》に井上《いのうえ》の話《はなし》を終《お》わらせると、ステージの中央《ちゅうおう》に出《で》てきた。

「最後《さいご》は私《わたし》！　真空超電導《しんくうちょうでんどう》リニアの客席担当《きゃくせきたんとう》、リニアスタッフのアイドル！　石岡《いしおか》エリーで〜す！　石岡《いしおか》エリーだから、みんな『おかえりー』って覚《おぼ》えてね！」

アイドルさながらにクルリと一回転《いっかいてん》してポーズを決《き》めるエリーに、客席《きゃくせき》からは拍手《はくしゅ》や笑《わら》いが起《お》きた。

『石《いし》』はどこにいったんだよ……」

元太《げんた》が苦笑《にがわら》いしながら突《つ》っ込《こ》みを入《い》れる。

「私《わたし》はリニアの車内《しゃない》で皆《みな》さんのお世話《せわ》をさせてもらいます！　では、当日《とうじつ》のスケジュールの説明《せつめい》をしますね！」

エリーがモニターを振《ふ》り返《かえ》ると、モニターにスケジュール表《ひょう》が映《うつ》った。

「七月《しちがつ》二《に》十四日《じゅうよっか》、朝十時《あさじゅうじ》！　みなさんの集合場所《しゅうごうばしょ》はこちら、名古屋国際空港《なごやこくさいくうこう》です！」

スケジュール表《ひょう》が空港《くうこう》の写真《しゃしん》に切《き》り替《か》わり、客席《きゃくせき》からざわめきが起《お》こった。

「なんで空港《くうこう》？」「駅《えき》から結構離《けっこうはな》れてるよね」

すると、ステージの端《はし》に立《た》っていた舞子《まいこ》が一歩前《いっぽまえ》に出《で》る。

「今回《こんかい》の目的地《もくてきち》はＷＳＧ《ダブルエスジー》東京《とうきょう》の開会式《かいかいしき》が行《おこな》われる、芝浜《しばはま》スタジアムです。新名古屋駅《しんなごやえき》から東京《とうきょう》の芝浜駅《しばはまえき》までの体験乗車《たいけんじょうしゃ》なので、名古屋《なごや》が出発地《しゅっぱつち》なんですよ」

モニターには芝浜《しばはま》スタジアムと当日《とうじつ》のリニアのルート図《ず》が表示《ひょうじ》され、

「そして、名古屋国際空港《なごやこくさいくうこう》でＷＳＧ《ダブルエスジー》委員《いいん》、スポンサーの方々《かたがた》と合流《ごうりゅう》します」

「リニアに乗《の》る人《ひと》が全員集《ぜんいんあつ》まったら、まずは空港内《くうこうない》の病院《びょういん》で健康診断《けんこうしんだん》をしまーす！」

エリーが説明《せつめい》すると同時《どうじ》に、モニターに病院《びょういん》の画像《がぞう》が映《うつ》し出《だ》された。

「健康診断《けんこうしんだん》？」「なんで？」再《ふたた》び客席《きゃくせき》がざわつく。

エリーは「安心《あんしん》して！」と客席《きゃくせき》に向《む》かって両手《りょうて》を広《ひろ》げた。「服《ふく》も脱《ぬ》がない簡単《かんたん》な検診《けんしん》だから」

「皆《みな》さんは世界《せかい》で初《はじ》めて最高時速《さいこうじそく》1000キロの乗《の》り物《もの》に乗《の》るわけですから、念《ねん》のための検診《けんしん》をということになりました。ご了承《りょうしょう》のほどお願《ねが》いできますと幸《さいわ》いです」

井上《いのうえ》の低姿勢《ていしせい》な応対《おうたい》に参加者《さんかしゃ》たちは納得《なっとく》したようで、それ以上声《いじょうこえ》をあげる者《もの》はいなかった。

蘭《らん》が「ねぇ、コナン君《くん》」と隣《となり》のコナンに顔《かお》を寄《よ》せる。

「健康診断《けんこうしんだん》はスポンサーの人《ひと》たちも受《う》けるってことだよね？」

「だと思《おも》う。それと、空港《くうこう》から芝浜《しばはま》スタジアムまでずっと一緒《いっしょ》みたい」

コナンたちが話《はな》していると、モニターの画像《がぞう》が切《き》り替《か》わり、WSG《ダブルエスジー》委員《いいん》とスポンサーの顔写真《かおじゃしん》がずらりと並《なら》んだ。

「この後《あと》は、一緒《いっしょ》に参加《さんか》する代表《だいひょう》スポンサー、WSG《ダブルエスジー》委員《いいん》を紹介《しょうかい》いたします。まず、スポンサーサイドからは日本《にっぽん》コード・CEO《シーイーオー》、ジョン・ボイドさん」

舞子《まいこ》の説明《せつめい》と共《とも》に、ジョンの顔写真《かおじゃしん》とプロフィールがクローズアップされる。

「ジョンさんが狙《ねら》われるのは、リニアの中《なか》だけじゃないかもしれないわね」

蘭《らん》がこっそり話《はな》すと、コナンは「うん」と小《ちい》さくうなずいた。

「空港《くうこう》やスタジアムでも用心《ようじん》しないと」

蘭《らん》が、えっ、と目《め》を見開《みひら》く。

「……って、まさかコナン君《くん》、来《く》る気《き》なの？」

〝来《く》る気《き》〟と言《い》うことは、蘭《らん》も名古屋《なごや》へ行《い》くつもりなのだ——とコナンは悟《さと》った。

「もちろん行《い》くよ」

「絶対《ぜったい》ダメよ！　園子《そのこ》に頼《たの》んで、五人分《ごにんぶん》の例《れい》のチケット用意《ようい》したのよ」

「でもボク、リニア乗《の》りたい」

子供《こども》たちがリニアに乗《の》ることを阻止《そし》するために、不可能《ふかのう》と思《おも》われていたヤイバーショーのチケットを手配《てはい》した蘭《らん》とコナンのやりとりを、コナンの左隣《ひだりどなり》に座《すわ》った灰原《はいばら》は、チラリと見《み》る。が、すぐに正面《しょうめん》に顔《かお》を戻《もど》す。

ステージでは代表《だいひょう》スポンサーの紹介《しょうかい》が終《お》わり、ＷＳＧ《ダブルエスジー》委員《いいん》の紹介《しょうかい》になっていた。

「そして最後《さいご》に、国際《こくさい》ＷＳＧ協会《ダブルエスジーきょうかい》の会長《かいちょう》、アラン・マッケンジーさんです！」

モニターには、パーティーのときと同《おな》じ顔写真《かおじゃしん》とプロフィールが表示《ひょうじ》され、

「彼《かれ》は学生時代《がくせいじだい》、射撃《しゃげき》の選手《せんしゅ》でＷＳＧ《ダブルエスジー》トロントに出場《しゅつじょう》したこともあるんですよ！」

さらにライフルを構《かま》える若《わか》かりし頃《ころ》の写真《しゃしん》に変《か》わった。

（射撃《しゃげき》……？）

アランの意外《いがい》な特技《とくぎ》が、コナンの心《こころ》に引《ひ》っかかる。

（確《たし》か元《もと》ＦＢＩ《エフビーアイ》長官《ちょうかん》でもあったよな……）

「連邦検事《れんぽうけんじ》となった後《あと》は、司法副長官《しほうふくちょうかん》、アメリカＷＳＧ協会《ダブルエスジーきょうかい》の会長《かいちょう》、ＦＢＩ長官《エフビーアイちょうかん》、司法長《しほうちょう》

官《かん》など華々《はなばな》しい経歴《けいれき》をお持《も》ちです。そんなアランさんが、国際《こくさい》WSG《ダブルエスジー》協会《きょうかい》の会長《かいちょう》になったのが七年前《しちねんまえ》……」

舞子《まいこ》が言葉《ことば》を区切《くぎ》ると、隣《となり》に立《た》つ井上《いのうえ》が言《い》った。

「七年前《しちねんまえ》といえば、WSG《ダブルエスジー》を東京《とうきょう》でやることが決《き》まった年《とし》ですよね」

「そうなんです！　アラン会長《かいちょう》とWSG《ダブルエスジー》の繋《つな》がりに、運命《うんめい》を感《かん》じませんか？」

笑顔《えがお》の舞子《まいこ》が客席《きゃくせき》に問《と》いかけると、

「さらにもうひとつ！」

ステージの端《はし》にあるリニア模型《もけい》に駆《か》け寄《よ》ったエリーが声《こえ》を上《あ》げた。

「皆《みな》さん、このリニア模型《もけい》に注目《ちゅうもく》～！　芝浜駅《しばはまえき》に到着寸前《とうちゃくすんぜん》のリニアから、こーんな感《かん》じに万国旗《ばんこくき》が飛《と》び出《だ》すサプライズ演出《えんしゅつ》も、アラン会長《かいちょう》が考《かんが》えているんですよ！」

エリーは説明《せつめい》しながら、さまざまな国旗《こっき》がデザインされた一枚《いちまい》の旗《はた》をリニアの最後尾《さいこうび》にくっつけて引《ひ》き伸《の》ばした。

客席《きゃくせき》から驚《おどろ》きの声《こえ》が上《あ》がる中《なか》、舞子《まいこ》と井上《いのうえ》はぎょっと目《め》を見開《みひら》く。

「ちょっとエリーさん！　それ言《い》っちゃダメなやつ！」

「サプライズじゃなくなってる！」

「あ……」自分《じぶん》のミスに気《き》づいたエリーは、しんとなった客席《きゃくせき》に目《め》を向《む》けた。そして、

「……というわけで、今《いま》のは聞《き》かなかったことにしてね♥」

とペロッと舌《した》を出《だ》してウインクした。客席《きゃくせき》からくすくす笑《わら》う声《こえ》が聞《き》こえてくる。

「ネ、ネットとかでもつぶやかないでくださいね！」

エリーの元《もと》へ慌《あわ》てて駆《か》けつけてフォローした舞子《まいこ》は、

「はい。では入《い》り口《ぐち》で配《くば》られましたパンフレットをご用意《ようい》ください」

と、持《も》っていたパンフレットを掲《かか》げた。「当日《とうじつ》の日程《にってい》の続《つづ》きと、リニアの座席《ざせき》の割《わ》り当《あ》ての説明《せつめい》を行《おこな》います」

苦笑《にがわら》いしていたコナンは、『真空超電導《しんくうちょうでんどう》リニア乗車説明会《じょうしゃせつめいかい》』と書《か》かれたパンフレットを広《ひろ》げた。


その日《ひ》の夕方《ゆうがた》。

「……なるほど。我々《われわれ》が潜《もぐ》り込《こ》むのは難《むずか》しそうね」

脇道《わきみち》に停《と》めたキャメルの車《くるま》の助手席《じょしゅせき》でパンフレットに目《め》を通《とお》したジョディは、後部座席《こうぶざせき》のコナンにパンフレットを戻《もど》した。

「日本《にっぽん》で起《お》きてる事件《じけん》なのに熱心《ねっしん》だね」

「FBI《エフビーアイ》が解決《かいけつ》した事件《じけん》の模倣犯《もほうはん》が現《あらわ》れたなら、我々《われわれ》が捕《つか》まえないと」

ジョディが答《こた》えると同時《どうじ》に、キャメルがドアを開《あ》けて運転席《うんてんせき》に乗《の》り込《こ》んだ。

「FBI本部《エフビーアイほんぶ》から許可《きょか》が出《で》ました。赤井《あかい》さんから頼《たの》まれた狙撃用弾丸《そげきようだんがん》の……」

「狙撃《そげき》ってまさか、犯人《はんにん》を殺《ころ》す気《き》⁉」

コナンが驚《おどろ》いて身《み》を乗《の》り出《だ》すと、ジョディはチラリとコナンを見《み》た。

「コナン君《くん》。ＦＢＩ《エフビーアイ》にはＦＢＩ《エフビーアイ》のやり方《かた》があるのよ」

その口調《くちょう》と表情《ひょうじょう》は厳《きび》しく、コナンはそれ以上何《いじょうなに》も言《い》えなかった。


「やったあ！　ヤイバーショー！　ヤイバーショー！　わ〜い！」

ヤイバーショーのチケットをもらった子供《こども》たちは、嬉《うれ》しさのあまり阿笠邸《あがさてい》のリビングを駆《か》け回《まわ》った。

そんな彼《かれ》らの傍《かたわ》らで、コナンと灰原《はいばら》はソファに向《む》かい合《あ》って座《すわ》っていた。

「よかったわね、リニアからヤイバーにすんなり乗《の》り換《か》えてくれて」

「ああ」

コナンがうなずくと、灰原《はいばら》はテーブルの紅茶《こうちゃ》に手《て》を伸《の》ばした。

「でも、あの子《こ》は名古屋《なごや》に行《い》くのね」

「あの子《こ》？」

「探偵事務所《たんていじむしょ》の蘭姉《らんねえ》ちゃんよ」

コナンはハッと顔《かお》を上《あ》げた。

乗車説明会《じょうしゃせつめいかい》のとき、灰原《はいばら》は蘭《らん》とコナンの会話《かいわ》を聞《き》いていたのだ。

「ああ……」

コナンは浮《う》かない表情《ひょうじょう》でうなずいた。

実《じつ》は阿笠邸《あがさてい》に来《く》る前《まえ》に、探偵事務所《たんていじむしょ》の屋上《おくじょう》から蘭《らん》に電話《でんわ》をかけて、名古屋《なごや》へ行《い》くのを止《と》めようとしたのだが——。


『ちょっと新一《しんいち》、なんで知《し》ってんのよ！　あ、またコナン君《くん》に聞《き》いたのね？』

「とにかく、お前《まえ》は行《い》くな。お前《まえ》の父《とう》さんなら、オレが守《まも》るから」

『守《まも》るって……新一《しんいち》も名古屋《なごや》に行《い》く気《き》ね。ならやっぱりわたしも行《い》く！』

「おい、蘭《らん》！」

『大丈夫《だいじょうぶ》よ。新一《しんいち》が一人《ひとり》くらい増《ふ》えても、わたしが守《まも》ってあげるから』

「ちげーだろ！　オメーを守《まも》るのはオレの——」

『オレの……なによ？』

「と、とにかく、オメーは行《い》くんじゃねぇぞ！」

（……バーロー。言《い》わせんじゃねぇよ）

電話《でんわ》のやりとりを思《おも》い出《だ》したコナンは、なんだか急《きゅう》に恥《は》ずかしくなってきて、思《おも》わず頬《ほお》を赤《あか》らめた。

「いったい何《なに》を考《かんが》えているのかしら……」

紅茶《こうちゃ》を飲《の》んでいた灰原《はいばら》は、そんなコナンを見《み》て、カップをテーブルに置《お》いた。

4

愛知県名古屋市《あいちけんなごやし》から南《みなみ》へ約三十五《やくさんじゅうご》キロ、伊勢湾《いせわん》の海上《かいじょう》に浮《う》かぶ人工島《じんこうとう》に位置《いち》する名古屋《なごや》国際空港《こくさいくうこう》——。

名古屋国際空港駅《なごやこくさいくうこうえき》と旅客《りょかく》ターミナルビルを結《むす》ぶアクセス広場《ひろば》に、およそ五百人《ごひゃくにん》のリニア体験乗車《たいけんじょうしゃ》の参加者《さんかしゃ》が集《あつ》まっていた。その先頭《せんとう》には、井上《いのうえ》とエリーがいる。

「リニアに乗車予定《じょうしゃよてい》の皆様《みなさま》、出欠確認《しゅっけつかくにん》のご協力《きょうりょく》ありがとうございました」

「そして先《さき》ほど、スポンサーの方々《かたがた》が到着《とうちゃく》されたとのことです。皆様《みなさま》、拍手《はくしゅ》でお迎《むか》えください」

エリーが左手《ひだりて》の通路《つうろ》を示《しめ》すと、舞子《まいこ》に先導《せんどう》された史郎《しろう》やジョンらスポンサーたちがやってきた。その中《なか》には、ジョンの依頼《いらい》を受《う》けた小五郎《こごろう》もいる。

「ん？」

ジョンの前《まえ》を歩《ある》いていた小五郎《こごろう》は、拍手《はくしゅ》で迎《むか》える参加者《さんかしゃ》たちの中《なか》に、見覚《みおぼ》えのある後《うし》ろ姿《すがた》を見《み》つけた。

あの後《うし》ろ姿《すがた》は……蘭《らん》だよな——と見《み》ていると、その人物《じんぶつ》がこちらを振《ふ》り返《かえ》った。

小五郎《こごろう》と目《め》が合《あ》った蘭《らん》は「やっほ～！」と愛想笑《あいそわら》いを浮《う》かべて手《て》を振《ふ》ってきて、小五郎《こごろう》は慌《あわ》てて詰《つ》め寄《よ》った。

「おい、蘭《らん》！　来《く》るなって言《い》っただろ⁉」

「だって、お父《とう》さん一人《ひとり》でジョンさん守《まも》れるはずないでしょ」

「余計《よけい》なお世話《せわ》だ！　ジョン社長《しゃちょう》は自分《じぶん》でもSP《エスピー》を雇《やと》ってる！」

小五郎《こごろう》はスポンサーたちを振《ふ》り返《かえ》って見《み》た。ジョンの両隣《りょうどなり》には屈強《くっきょう》なボディガードらしき男性《だんせい》たちがいる。

「なのにガキたちまで連《つ》れてきやがって！」

「え？」

蘭《らん》が小五郎《こごろう》の視線《しせん》の先《さき》を見《み》ると——コナンと灰原《はいばら》が立《た》っていた。

「コナン君《くん》と哀《あい》ちゃん！　来《き》ちゃったの⁉」

「だって、灰原《はいばら》がどうしても行《い》くって言《い》うから」

「私《わたし》、仮面《かめん》ヤイバーに興味《きょうみ》ないし」

悪《わる》びれる様子《ようす》もなく堂々《どうどう》としている二人《ふたり》に、蘭《らん》と小五郎《こごろう》は言葉《ことば》も出《で》なかった。

同《おな》じ頃《ころ》。元太《げんた》、光彦《みつひこ》、歩美《あゆみ》は芝浜《しばはま》スタジアムそばの野外《やがい》ステージで行《おこな》われている仮面《かめん》ヤイバーショーに来《き》ていた。

ステージでは姫君《ひめぎみ》が悪者《わるもの》のジョッカーに捕《と》らえられ、司会《しかい》のお姉《ねえ》さんが客席《きゃくせき》に向《む》かって呼《よ》びかける。

「みんな、今度《こんど》は声《こえ》を合《あ》わせて！　せーの！」

「助《たす》けて〜！　仮面《かめん》ヤイバ——!!」

観客《かんきゃく》の子供《こども》たちは、あらん限《かぎ》りの声《こえ》で叫《さけ》んだ。すると、

「君《きみ》たちの思《おも》い、受《う》け取《と》った!!」

ステージの屋根《やね》の上《うえ》に、仮面《かめん》ヤイバーが現《あらわ》れた。

「仮面《かめん》ヤイバー、参上《さんじょう》!!」

と決《き》めポーズを取《と》ると、子供《こども》たちから「わ〜っ！」「かあっこいい〜！」と大《おお》きな歓声《かんせい》が上《あ》がる。

「結局《けっきょく》、ガキンチョたちの引率係《いんそつがかり》……」

喜《よろこ》びの声《こえ》と笑顔《えがお》があふれる客席《きゃくせき》で、園子《そのこ》は一人《ひとり》苦笑《にがわら》いを浮《う》かべた。

「ではこれから、国際線到着《こくさいせんとうちゃく》ロビーまで各国《かっこく》のＷＳＧ《ダブルエスジー》委員《いいん》の方々《かたがた》を迎《むか》えに行《い》きます」

舞子《まいこ》の引率《いんそつ》で、ジョンや史郎《しろう》らスポンサーとコナンたち参加者《さんかしゃ》はぞろぞろと歩《ある》き出《だ》した。

コナンの前《まえ》には、ＳＰ《エスピー》に取《と》り囲《かこ》まれたジョンが史郎《しろう》と話《はな》しながら歩《ある》いている。すると突《とっ》然《ぜん》、コナンが駆《か》け出《だ》した。

「わあ〜〜〜」と満面《まんめん》の笑《え》みで、緩《ゆる》やかな下《くだ》り坂《ざか》になった通路《つうろ》を走《はし》っていく。

「え、コナン君《くん》⁉」

目《め》を丸《まる》くする蘭《らん》と灰原《はいばら》から遠《とお》ざかったコナンは、ジョンの前《まえ》で派手《はで》に転《ころ》んだ。

「痛《いた》っ！」

ジョンが、おっ、と立《た》ち止《ど》まると、SP《エスピー》が「危《あぶ》ないです！」と前《まえ》に出《で》る。

「子供《こども》だし問題《もんだい》ないだろう。大丈夫《だいじょうぶ》かい、ボク？」

ジョンはSP《エスピー》を押《お》しのけるようにして、コナンに手《て》を差《さ》し出《だ》した。

「うん。下《くだ》り坂《ざか》だから、つい走《はし》ってみたくなっちゃったんだ」

ジョンの手《て》につかまったコナンは、体《からだ》を起《お》こすと同時《どうじ》にジョンのスーツにシール状《じょう》の盗聴発信機《とうちょうはっしんき》をつけた。その一瞬《いっしゅん》の動作《どうさ》を、灰原《はいばら》だけは見逃《みのが》さなかった。

「ケガはないかな？」

ジョンに訊《き》かれて、起《お》き上《あ》がったコナンは、うん、とうなずいた。

「おじさん、日本語上手《にほんごじょうず》だね」

「ああ。日本《にっぽん》に来《き》て長《なが》いからね」

「へぇ～、そうなんだ」

コナンがあいづちを打《う》つと、いきなり小五郎《こごろう》がコナンの襟首《えりくび》をつかんで持《も》ち上《あ》げた。

「コラ、小僧《こぞう》！　廊下《ろうか》は走《はし》るなって学校《がっこう》で教《おそ》わってないのか⁉」

小五郎《こごろう》はコナンをつかんだままジョンの方《ほう》を向《む》き、

「すみません、知《し》り合《あ》いの子《こ》でして……蘭《らん》！　お前《まえ》がちゃんと見《み》とけ！」

と、コナンを蘭《らん》の方《ほう》へ放《ほう》り投《な》げた。そして「さぁ行《い》きましょう」とジョンと共《とも》に歩《ある》いていく。

コナンをキャッチした蘭《らん》は、そのまま床《ゆか》に下《お》ろした。

「ねぇ、コナン君《くん》なら今《いま》から哀《あい》ちゃんと二人《ふたり》で帰《かえ》れるよね？」

「え～無理《むり》だよ！　ボク子供《こども》だもん！」

いつもの大人顔負《おとなかおま》けの行動力《こうどうりょく》はどこへ行《い》ったのやら、不安《ふあん》げに返《かえ》されてしまった蘭《らん》は、そばにいた灰原《はいばら》の方《ほう》を向《む》いた。

「でも、哀《あい》ちゃんなら帰《かえ》れるよね？」

「帰《かえ》れないわ。だって子供《こども》だもの」

灰原《はいばら》は髪《かみ》を耳《みみ》にかけ、つんとすまして答《こた》える。そして、

「早《はや》く行《い》きましょ。私《わたし》たちが一番最後《いちばんさいご》になってる」と歩《ある》き出《だ》した。

「そ、そうね」

あっけに取《と》られた蘭《らん》も、言《い》われるがままに後《あと》をついていく。

そのとき、コナンのスマホが小《ちい》さく震《ふる》え出《だ》した。表示《ひょうじ》を見《み》る。

(昴《すばる》さんからだ)

コナンは足《あし》を止《と》め、応答《おうとう》ボタンをタップした。

「今《いま》、名古屋国際空港《なごやこくさいくうこう》に着《つ》いたところなんだが……」

空港《くうこう》の駐車場《ちゅうしゃじょう》に赤《あか》のマスタングを停《と》めた昴《すばる》は、コナンに電話《でんわ》をかけながら自販機《じはんき》で缶《かん》コーヒーを買《か》った。

「ボウヤにちょっとした依頼《いらい》をしておきたくてね」

コナンは誰《だれ》もいなくなった通路《つうろ》に一人残《ひとりのこ》り、電話《でんわ》をしていた。

「……わかった。万一《まんいち》の時《とき》が来《き》てしまったら、やってみる」

「誰《だれ》と話《はな》しているの？」

コナンが驚《おどろ》いて振《ふ》り返《かえ》ると、灰原《はいばら》が戻《もど》ってきていた。

「……元太《げんた》だよ！　ヤイバーショーが楽《たの》しいってさ！」

「そう……」灰原《はいばら》は訝《いぶか》しげにコナンを見《み》やった。「みんながあなたを待《ま》ってるわ」

「すぐ行《い》くから、先行《さきい》っててくれ」

「迷子《まいご》になるから早《はや》く来《き》なさいね」

「ああ！」

灰原《はいばら》が歩《ある》いていくのを見届《みとど》けてから、コナンはスマホを耳《みみ》に当《あ》てた。「……もしもし」

『大丈夫《だいじょうぶ》か？』

「うん。それで、こっちの依頼《いらい》は調《しら》べてくれた？」

自販機《じはんき》から缶《かん》コーヒーを取《と》り出《だ》した昴《すばる》は、車《くるま》を停《と》めた方《ほう》へ歩《ある》き出《だ》した。

「ああ。ＦＢＩ《エフビーアイ》の報告《ほうこく》によると、石原《いしはら》は刑務所《けいむしょ》に収監《しゅうかん》された後《あと》、死亡《しぼう》していた」

『え……石原《いしはら》は犯行《はんこう》を否認《ひにん》してたんだよね？』

「ああ。当時《とうじ》のＦＢＩ長官《エフビーアイちょうかん》の回顧録《かいころく》によると、ずっと無実《むじつ》を訴《うった》えていたようだ」

『当時《とうじ》のＦＢＩ長官《エフビーアイちょうかん》は……』

「アラン会長《かいちょう》だ」

昴《すばる》が答《こた》えると同時《どうじ》に、スマホから『アラン会長《かいちょう》か』とコナンの声《こえ》が聞《き》こえてきた。

『石原《いしはら》が冤罪《えんざい》だった可能性《かのうせい》は？』

「なかったと信《しん》じたい」

昴《すばる》はそう答《こた》えると、リモコンキーでマスタングのドアロックを解除《かいじょ》した。

「そしてそんな石原《いしはら》には妻《つま》と娘《むすめ》がいた」

『家族《かぞく》がいたの!?』

「石原《いしはら》が獄中死《ごくちゅうし》した後《あと》、妻《つま》と娘《むすめ》は日本《にっぽん》に帰国《きこく》している。二人《ふたり》の名《な》は……」

車《くるま》に乗《の》り込《こ》んだ昴《すばる》は二人《ふたり》の名前《なまえ》を告《つ》げると、バタンとドアを閉《し》めた。

「……わかった。参加者名簿《さんかしゃめいぼ》を調《しら》べてみる。おじさんが持《も》ってるはずだから」

昴《すばる》から告《つ》げられた名前《なまえ》をメモしたコナンは、スマホを切《き》るとすぐに走《はし》り出《だ》した。国際線到着《こくさいせんとうちゃく》ロビーへ向《む》かう一団《いちだん》に追《お》いつくと、小五郎《こごろう》の背後《はいご》に忍《しの》び寄《よ》り、スーツのポケットに入《はい》った名簿《めいぼ》をさっと引《ひ》き抜《ぬ》く。

やがて一団《いちだん》が国際線到着《こくさいせんとうちゃく》ロビーに着《つ》いた頃《ころ》、コナンは柱《はしら》の陰《かげ》で名簿《めいぼ》をチェックしていた。

「アラン会長《かいちょう》が到着《とうちゃく》されました！　皆《みな》さん、大《おお》きな拍手《はくしゅ》でお迎《むか》えください！」

国際線到着出口《こくさいせんとうちゃくでぐち》から現《あらわ》れたアランは、出迎《でむか》えてくれた人々《ひとびと》に笑顔《えがお》で手《て》を振《ふ》った。その後《うし》ろから、各国《かっこく》のＷＳＧ《ダブルエスジー》委員《いいん》も続々《ぞくぞく》と出《で》てくる。

出迎《でむか》えの拍手《はくしゅ》が響《ひび》く中《なか》、名簿《めいぼ》をチェックし終《お》えたコナンは、険《けわ》しい表情《ひょうじょう》でスマホを取《と》り出《だ》した。


昴《すばる》が運転席《うんてんせき》で缶《かん》コーヒーを飲《の》んでいると、スマホが小《ちい》さく震《ふる》え出《だ》した。

着信《ちゃくしん》はコナンからだった。応答《おうとう》ボタンをタップして電話《でんわ》に出《で》る。

「早《はや》いな」

「名前《なまえ》はあったか？」

『名簿《めいぼ》にはなかったよ』

「そうか。まぁ、証人保護《しょうにんほご》プログラムで名前《なまえ》を変《か》えた可能性《かのうせい》もあるがな」

昴《すばる》が言《い》うと、少《すこ》し間《ま》があって、コナンがたずねた。

『石原《いしはら》は犯人《はんにん》だよね？　その家族《かぞく》が証人保護《しょうにんほご》プログラムの対象《たいしょう》になるの？』

「犯人《はんにん》の仲間《なかま》に襲《おそ》われる可能性《かのうせい》があれば、誰《だれ》でも対象《たいしょう》になる。安全《あんぜん》を守《まも》る代《か》わりに捜査《そうさ》への協力《きょうりょく》を強制《きょうせい》する司法取引《しほうとりひき》だからな」

マスタングの中《なか》で電話《でんわ》をしている昴《すばる》を、数台先《すうだいさき》の車《くるま》の陰《かげ》から見《み》ている者《もの》がいた。赤《あか》いフルフェイスヘルメットを被《かぶ》っていて顔《かお》は見《み》えないが、中学生《ちゅうがくせい》ほどの背丈《せたけ》がある。

車《くるま》の間《あいだ》から顔《かお》を覗《のぞ》かせていた人物《じんぶつ》は、ふいにゴホゴホと咳《せき》をした。

『石原《いしはら》やその娘《むすめ》がその対象《たいしょう》になったかどうか調《しら》べられる？』

「その証人《しょうにん》プログラムをＦＢＩ《エフビーアイ》がしていたらすぐにわかるが……」

昴《すばる》は答《こた》えながらノートパソコンを手《て》に取《と》り、ひざに置《お》いて開《ひら》いた。立《た》ち上《あ》げた画面《がめん》にはＦＢＩ《エフビーアイ》の紋章《もんしょう》が映《うつ》っている。

「万《まん》が一《いち》ＵＳＭＳ《ユーエスエムエス》がしていたら、ちょっと時間《じかん》がかかるな」

ウィンドウを開《ひら》いて検索《けんさく》ボックスに〝ＵＳＭＳ《ユーエスエムエス》〟と入力《にゅうりょく》すると、検索結果《けんさくけっか》と共《とも》にアメリカ連邦保安官局《れんぽうほあんかんきょく》の紋章《もんしょう》が出《で》てくる。

『え？　なんで？』

スマホを耳《みみ》に当《あ》てた昴《すばる》は、コナンの質問《しつもん》にフッと笑《え》みを浮《う》かべた。

「ＦＢＩ《エフビーアイ》とＵＳＭＳ《ユーエスエムエス》は仲《なか》が悪《わる》いんでね」

「そ、そうなんだ……」

コナンが意外《いがい》な事実《じじつ》に驚《おどろ》いていると、国際線到着《こくさいせんとうちゃく》ロビーにいる参加者《さんかしゃ》たちが舞子《まいこ》の先導《せんどう》で空港内《くうこうない》にある病院《びょういん》へ移動《いどう》しはじめた。

「ちなみに、証人保護《しょうにんほご》で名前《なまえ》を変《か》える場合《ばあい》、自分《じぶん》の好《す》きな名前《なまえ》にすることってできる？」

ぞろぞろと歩《ある》き出《だ》す参加者《さんかしゃ》たちを柱《はしら》の陰《かげ》から見《み》ながら、コナンがたずねた。

『無理《むり》だな』

「絶対《ぜったい》に？」

蘭《らん》がキョロキョロと辺《あた》りを見回《みまわ》すのを見《み》て、コナンは柱《はしら》に隠《かく》れた。

「あれ？　コナン君《くん》？　コナンくーん！」

どうやらコナンを探《さが》しているようだった。そばにいる灰原《はいばら》が、コナンのいる柱《はしら》の方《ほう》を見《み》る。

『元《もと》の名前《なまえ》が特定《とくてい》される危険《きけん》が少《すく》なければ、できるかもしれん』

「そう……」

可能性《かのうせい》がゼロではないことを確認《かくにん》したコナンの頭《あたま》の中《なか》で、ある人物《じんぶつ》の名前《なまえ》が浮《う》かんだ。

＊＊＊

日本三名城《にっぽんさんめいじょう》の一《ひと》つに数《かぞ》えられる、名古屋城《なごやじょう》――。

てっぺんに輝《かがや》かしい金鯱《きんしゃち》を構《かま》えるその天守《てんしゅ》を一望《いちぼう》できる場所《ばしょ》に、着物姿《きものすがた》の秀吉《しゅうきち》は立《た》っていた。

「伊勢《いせ》は津《つ》でもつ、津《つ》は伊勢《いせ》でもつ、尾張名古屋《おわりなごや》は城《しろ》でもつ。さすが、日本三名城《にっぽんさんめいじょう》の一《ひと》つだねぇ～」

銀箔《ぎんぱく》をあしらった名古屋扇《なごやおうぎ》を名古屋城《なごやじょう》に向《む》けて勢《いきお》いよく広《ひろ》げると、秀吉《しゅうきち》はゆっくりと大《おお》きく優雅《ゆうが》に仰《あお》いだ。その背後《はいご》を、ガラガラガラ……とスーツケースのキャスター音《おん》が近《ちか》づいてくる。

「って、したり顔《がお》で語《かた》ってんじゃないわよ！」

振《ふ》り返《かえ》ると、怒《おこ》り顔《がお》の由美《ゆみ》がスーツケースを持《も》って立《た》っていた。

「由美《ゆみ》さん！　名古屋駅《なごやえき》に着《つ》いたら迎《むか》えにいくつもりだったのに……よくここにいるってわかったね」

「わかるわよ。アンタ有名人《ゆうめいじん》なんだから！」

と、スマホを突《つ》きつける。それはSNS《エスエヌエス》の画面《がめん》で、『太閤名人《たいこうめいじん》がおる！』というメッセージと共《とも》に、名古屋城《なごやじょう》をバックに野良猫《のらねこ》を触《さわ》っている秀吉《しゅうきち》の写真《しゃしん》が投稿《とうこう》されていた。

「あ、僕《ぼく》だ」

秀吉《しゅうきち》がスマホの画面《がめん》を覗《のぞ》くと、由美《ゆみ》は苛立《いらだ》ったようにスマホを引《ひ》っ込《こ》めた。

「それより、デートの待《ま》ち合《あ》わせ場所《ばしょ》が名古屋《なごや》って、どういう了見《りょうけん》よ！」

「今日《きょう》、こっちで仕事《しごと》だったから」

「てか、着物《きもの》なら着物《きもの》って言《い》ってよね！」

秀吉《しゅうきち》の着物《きもの》の袖《そで》を引《ひ》っ張《ぱ》った由美《ゆみ》は、しょんぼりとして、反対《はんたい》の手《て》で自分《じぶん》の服《ふく》をつまんだ。「ちゃんと服合《ふくあ》わせたのに……」

ふいに見《み》せるそのいじらしい顔《かお》に、秀吉《しゅうきち》は思《おも》わずドキッとする。

「ご、ごめんなさい……」

「……で、仕事《しごと》は終《お》わったの？」

「うん。今日《きょう》は下見《したみ》だけだから。——ほら見《み》てよ」

秀吉《しゅうきち》は後《うし》ろを振《ふ》り返《かえ》り、名古屋城《なごやじょう》を示《しめ》した。

「名古屋城《なごやじょう》が一望《いちぼう》できるこんなところで対局《たいきょく》できるなんて、すごいでしょ」

「対局《たいきょく》？」

「言《い》わなかったっけ？　ここに『名古屋将棋会館《なごやしょうぎかいかん》』ができるんだよ」

言《い》われてみれば確《たし》かに、二人《ふたり》のそばには『名古屋将棋会館建設予定地《なごやしょうぎかいかんけんせつよていち》』と書《か》かれた看板《かんばん》が立《た》っている。

「ああ、その建設《けんせつ》のための実行委員《じっこういいん》になったとか言《い》ってたっけ」

「うん。自分《じぶん》で立候補《りっこうほ》したんだ」

「アンタもミーハーね」

由美《ゆみ》が秀吉《しゅうきち》の背中《せなか》に向《む》けて、あきれたように言《い》った。

「他《ほか》の棋士《きし》にはさせられないから」

「え？」

「資金集《しきんあつ》めにあっちこっち引《ひ》っ張《ぱ》り回《まわ》されたら、将棋《しょうぎ》の時間《じかん》がなくなっちゃう。そんな思《おも》いをするのは僕《ぼく》だけでいい」

そう言《い》って振《ふ》り返《かえ》った秀吉《しゅうきち》は、なんだかいつになく頼《たの》もしく見《み》える。

「チュウ吉《きち》……」

二人《ふたり》が向《む》かい合《あ》う建設予定地《けんせつよていち》の隅《すみ》には空高《そらたか》く伸《の》びた向日葵《ひまわり》が咲《さ》き、太陽《たいよう》に向《む》かって開《ひら》く花《はな》びらからてんとう虫《むし》が飛《と》んでいった。

5

名古屋国際空港病院《なごやこくさいくうこうびょういん》に到着《とうちゃく》したWSG《ダブルエスジー》委員《いいん》、スポンサー、一般参加者《いっぱんさんかしゃ》たちは、吹《ふ》き抜《ぬ》けの広々《ひろびろ》としたロビーでエリーたちから説明《せつめい》を受《う》けた。

「これから受《う》けていただく簡易検査《かんいけんさ》は、男女同室《だんじょどうしつ》となります」

「また検査終了後《けんさしゅうりょうご》、食事休憩《しょくじきゅうけい》となりますが、WSG《ダブルエスジー》委員《いいん》の方々《かたがた》のみ打《う》ち合《あ》わせが入《はい》っていますので、空港会議室《くうこうかいぎしつ》までお越《こ》しください」

灰原《はいばら》の横《よこ》で説明《せつめい》を聞《き》いていたコナンは、通訳《つうやく》がついているアランを見《み》た。そのそばには、SP《エスピー》に囲《かこ》まれたジョンもいる。

「そして大《おお》きな荷物《にもつ》をお持《も》ちの方《かた》はロッカーがございますので、そちらに預《あず》けてから検査《けんさ》をお願《ねが》いします」

井上《いのうえ》の説明《せつめい》を聞《き》いて、コナンはボディバッグからはみ出《だ》したスケボーを振《ふ》り返《かえ》った。

「では二階《にかい》の検査室《けんさしつ》まで案内《あんない》しますので、ご同行《どうこう》お願《ねが》いいたします」

舞子《まいこ》の先導《せんどう》で、一行《いっこう》がぞろぞろと歩《ある》き出《だ》し、コナンも進《すす》み出《だ》す。するとふいに、窓《まど》の方《ほう》から強《つよ》い視線《しせん》を感《かん》じた。

窓《まど》の外《そと》は駐車場《ちゅうしゃじょう》だが、誰《だれ》もいない――。

隣《となり》を歩《ある》いていた灰原《はいばら》が、立《た》ち止《ど》まるコナンの方《ほう》へ戻《もど》ってきた。

「どうしたの？」

「誰《だれ》かに見《み》られてる気《き》がしてな……」

駐車場《ちゅうしゃじょう》から病院《びょういん》の中《なか》を覗《のぞ》いていた真純《ますみ》は、コナンが窓《まど》の方《ほう》を向《む》くと同時《どうじ》に、すばやく木《き》の陰《かげ》に隠《かく》れた。

まさか自分《じぶん》の視線《しせん》に気《き》づくなんて、相変《あいか》わらず勘《かん》が良《よ》すぎる少年《しょうねん》だ。

「今日《きょう》は仕事《しごと》だからバレないようにしないと……！」

フゥ……と小《ちい》さく息《いき》を吐《は》いた真純《ますみ》は、再《ふたた》び歩《ある》き出《だ》すコナンと逆方向《ぎゃくほうこう》へ走《はし》り出《だ》した。

広々《ひろびろ》とした検査室《けんさしつ》には、長机《ながづくえ》が横一列《よこいちれつ》にズラリと並《なら》び、血圧計《けつあつけい》や聴力検査機器《ちょうりょくけんさきき》の前《まえ》に看《かん》護師《ごし》たちが座《すわ》っていた。参加者《さんかしゃ》たちが順番《じゅんばん》に検査《けんさ》を受《う》けていく。

「次《つぎ》はアラン会長《かいちょう》、どうぞ」

英語《えいご》で呼《よ》ばれて、アランは椅子《いす》から立《た》ち上《あ》がり、血圧計《けつあつけい》の前《まえ》に向《む》かった。長机《ながづくえ》の前《まえ》の椅《い》子《す》に座《すわ》り、ジャケットのボタンを外《はず》して脱《ぬ》ぐと、ポケットから小瓶《こびん》とボールペンが落《お》ちた。

「Oops《ウップス》！（しまった）」

小瓶《こびん》とペンは真横《まよこ》のソファにいたコナンと灰原《はいばら》の足元《あしもと》まで転《ころ》がった。

「それ、日本《にっぽん》の栄養《えいよう》ドリンクだよね？」

コナンが拾《ひろ》い上《あ》げた小瓶《こびん》を見《み》て、蘭《らん》が言《い》う。

「みたいだね。――はい、アランさん」

コナンはアランの方《ほう》へ歩《ある》き、栄養《えいよう》ドリンクを手渡《てわた》した。ボールペンを拾《ひろ》った灰原《はいばら》も一緒《いっしょ》に渡《わた》す。

「ああ、ありがとう」

ボールペンをジャケットのポケットにしまったアランは、

「さっき空港内《くうこうない》で買《か》ったんだ。丸一日寝《まるいちにちね》てないんで、もし開会式《かいかいしき》のときに眠《ねむ》くなったら大《たい》変《へん》だからね」

と、栄養《えいよう》ドリンクを掲《かか》げて笑《わら》う。コナンと灰原《はいばら》が微笑《ほほえ》んでいるのを見《み》た蘭《らん》は、

「二人《ふたり》とも、英語《えいご》わかるんだっけ？」

と二人《ふたり》の顔《かお》を覗《のぞ》き込《こ》むようにしてたずねた。

「学校《がっこう》の授業《じゅぎょう》であるから、ちょっとだけ」

笑《わら》ってごまかすコナンに、灰原《はいばら》が「同《おな》じく」と乗《の》っかる。

蘭《らん》は二人《ふたり》の言葉《ことば》を素直《すなお》に信《しん》じたようだった。

「すごいねえ。それに比《くら》べて……」

と隣《となり》の小五郎《こごろう》をチラリと見《み》る。

「オ、オレだって、このくらいのイングリッシュならビフォアブレックファストよ！」

（それじゃあ『朝飯前《あさめしまえ》』じゃなくて『朝飯《あさめし》の前《まえ》』だよ、おっちゃん……）

コナンは心《こころ》の中《なか》で突《つ》っ込《こ》むと、

「エアプレーン、スリーピング？」

シンプルな英語《えいご》とジェスチャーで、子供《こども》っぽくアランに伝《つた》えた。

「私《わたし》は飛行機《ひこうき》の中《なか》では眠《ねむ》れない性格《せいかく》なんでね」

笑《わら》ってそう言《い》うと、アランは椅子《いす》に座《すわ》って血圧《けつあつ》を測《はか》り出《だ》した。コナンと灰原《はいばら》もソファに戻《もど》っていく。


同《おな》じ頃《ころ》。コナンたちがいる病院《びょういん》のＭＲＩ《エムアールアイ》（磁気共鳴画像《じききょうめいがぞう》）室《しつ》。

その隣《となり》の制御室《せいぎょしつ》に、黒《くろ》い人影《ひとかげ》がいた。

窓越《まどご》しに見《み》える大《おお》きなＭＲＩ《エムアールアイ》装置《そうち》のトンネル部分《ぶぶん》に、ひしゃげたストレッチャーや点滴《てんてき》スタンドがくっついている。

黒《くろ》い人影《ひとかげ》は、操作卓《そうさたく》にある緊急停止《きんきゅうていし》ボタンを押《お》した。

突然《とつぜん》、検査室《けんさしつ》の天井《てんじょう》にあるエアコンの吹《ふ》き出《だ》し口《ぐち》から、白《しろ》い煙《けむり》が吹《ふ》き出《だ》した。その勢《いきお》いに耐《た》え切《き》れず、天井《てんじょう》に埋《う》め込《こ》まれたエアコンのカバーが外《はず》れて下《した》に落《お》ちる。

「何《なに》!?」「なんだ!?」

カバーが落《お》ちた音《おと》に驚《おどろ》いてコナンたちが振《ふ》り返《かえ》ると、吹《ふ》き出《だ》し口《ぐち》から大量《たいりょう》の濃《こ》い白煙《はくえん》が流《なが》れ込《こ》んできた。

二階《にかい》の病室《びょうしつ》や廊下《ろうか》にも白煙《はくえん》がものすごい勢《いきお》いで流《なが》れ込《こ》み、広《ひろ》がっていく。吹《ふ》き抜《ぬ》けになったロビーにも二階《にかい》から白煙《はくえん》が流《なが》れ込《こ》んできて、あっという間《ま》に視界《しかい》をくもらせた。

「爆発《ばくはつ》だぁ！」「二階《にかい》から煙《けむり》だ！」「火事《かじ》なんじゃ!?」

パニック状態《じょうたい》になって騒《さわ》ぎ立《た》てる人々《ひとびと》に向《む》かって、看護師《かんごし》は懸命《けんめい》に呼《よ》びかけた。

「皆《みな》さん、落《お》ち着《つ》いてください！　慌《あわ》てず走《はし》らずに外《そと》に避難《ひなん》してください！」

コナンたちがいる検査室《けんさしつ》も、あっという間《ま》に白煙《はくえん》が充満《じゅうまん》した。

何人《なんにん》かが出入口《でいりぐち》に向《む》かい、扉《とびら》を開《あ》けようとしたが、廊下側《ろうかがわ》で何《なに》かが挟《はさ》まっているのかビクともしない。

「扉《とびら》が閉《し》まってるんだ！　誰《だれ》か開《あ》けてくれ！」

先頭《せんとう》の男《おとこ》が扉《とびら》をドンドン叩《たた》き続《つづ》けるが、廊下《ろうか》には誰《だれ》もいないのか、反応《はんのう》がない。

出入口付近《でいりぐちふきん》に来《き》ていたジョンは、ああ、と消《き》え入《い》りそうな声《こえ》でつぶやき、額《ひたい》に手《て》を当《あ》てた。

「私《わたし》は殺《ころ》されるのか？」

「大丈夫《だいじょうぶ》！　我々《われわれ》があなたを守《まも》ります」

ジョンを取《と》り囲《かこ》んだSP《エスピー》は、白煙《はくえん》に目《め》を凝《こ》らしながら、声《こえ》をかける。

流《なが》れ込《こ》んでくる白煙《はくえん》はさらに濃《こ》さを増《ま》して、辺《あた》りは真《ま》っ白《しろ》になった。視界《しかい》が遮《さえぎ》られて、一《いち》メートル先《さき》もまともに見《み》えない。それでも人々《ひとびと》は悲鳴《ひめい》を上《あ》げながら逃《に》げ惑《まど》う。

「お父《とう》さん！　出口探《でぐちさが》してくる！」

「おい、蘭《らん》！」

走《はし》り出《だ》した蘭《らん》に、同《おな》じく出口《でぐち》を求《もと》めて走《はし》る誰《だれ》かが正面《しょうめん》から突《つ》っ込《こ》んできた。ドンッと勢《いきお》いよくぶつかり、体勢《たいせい》を崩《くず》した蘭《らん》は壁《かべ》に頭《あたま》を打《う》ちつけて倒《たお》れる。

その一方《いっぽう》で、コナンは白煙《はくえん》に包《つつ》まれながら、蘭《らん》たちを探《さが》していた。

「蘭姉《らんねえ》ちゃん！　返事《へんじ》して！　蘭《らん》ねえ――」

声《こえ》を張《は》り上《あ》げるやいなや腕《うで》をつかまれて、振《ふ》り返《かえ》ると、灰原《はいばら》がすぐそばに立《た》っていた。

「江戸川君《えどがわくん》！　これは爆発《ばくはつ》なんかじゃない。『クエンチ』よ！」

「クエンチ!?」

それは初《はじ》めて聞《き》く言葉《ことば》だった。ケホッ、ケホッ、と灰原《はいばら》が咳《せ》き込《こ》む。

「江戸川君《えどがわくん》……早《はや》く逃《に》げ……て……」

コナンの腕《うで》をつかむ灰原《はいばら》の手《て》が緩《ゆる》んで離《はな》れたかと思《おも》うと、ひざをつき、崩《くず》れるようにその場《ば》に倒《たお》れ込《こ》んだ。

「おい！　灰原《はいばら》！」

呼《よ》びかけた瞬間《しゅんかん》、コナンも苦《くる》しくなってゲホゲホと咳《せ》き込《こ》む。

床《ゆか》に倒《たお》れた灰原《はいばら》は、苦《くる》しそうに顔《かお》を持《も》ち上《あ》げた。

「早《はや》く……逃《に》げて。このままだと……全員《ぜんいん》、確実《かくじつ》に死《し》んじゃう……」

振《ふ》り絞《しぼ》るように言《い》うと、灰原《はいばら》はガクリとうなだれた。

「灰原《はいばら》!?　おい、灰原《はいばら》――！」


頭《あたま》を壁《かべ》に打《う》ちつけて気絶《きぜつ》していた蘭《らん》は、コナンの声《こえ》で目《め》を覚《さ》ました。

「コナン君《くん》……」

息《いき》を吸《す》い込《こ》んだ瞬間《しゅんかん》、苦《くる》しくなってケホケホと咳《せ》き込《こ》む。周《まわ》りは白煙《はくえん》に包《つつ》まれて、何《なに》も見《み》えない。

「コナン君《くん》……！」

蘭《らん》は右手《みぎて》で鼻《はな》と口《くち》を覆《おお》い、左手《ひだりて》を床《ゆか》につけて這《は》いつくばるように進《すす》んだ。

「しっかりしろ！　灰原《はいばら》!!」

頭《あたま》が朦朧《もうろう》とする中《なか》、コナンの声《こえ》が聞《き》こえて、蘭《らん》は顔《かお》を上《あ》げた。前方《ぜんぽう》で、倒《たお》れている灰原《はいばら》の前《まえ》でひざをつき、呼《よ》びかけているコナンの姿《すがた》が見《み》える。

その真剣《しんけん》な顔《かお》が、新一《しんいち》と重《かさ》なった。

「し……新《しん》……一《いち》？」

どうして、ここに——そこまで考《かんが》えたとき、再《ふたた》び蘭《らん》の意識《いしき》が遠《とお》のいて、その場《ば》にガクリとうなだれた。


「ら、蘭《らん》！」

すぐそばに蘭《らん》がいることに気《き》づいたコナンは、蘭《らん》に近《ちか》づこうと床《ゆか》に手《て》をつき体《からだ》を起《お》こそうとした。が、力《ちから》が入《はい》らず、ガクンと崩《くず》れ落《お》ちる。

「おい、ラ……ン」

蘭《らん》に近《ちか》づきたいのに、足《あし》が、手《て》が——体《からだ》が動《うご》かない。

白煙《はくえん》が充満《じゅうまん》している検査室《けんさしつ》には大勢《おおぜい》の人《ひと》がいるはずなのに、動《うご》き回《まわ》る気配《けはい》が感《かん》じられなかった。ぼんやりと見《み》える人影《ひとかげ》は、どれも床《ゆか》に倒《たお》れたりうずくまったりして、動《うご》かない。

（い、一体何《いったいなに》が……）

何《なに》が起《お》きているのか、コナンにはまるで見当《けんとう》がつかなかった。

呼吸《こきゅう》が苦《くる》しい。体《からだ》が動《うご》かない。意識《いしき》が朦朧《もうろう》とする——。

コナンは必死《ひっし》に腕《うで》を動《うご》かし、ポケットからスマホを取《と》り出《だ》した。そして、かすむ視界《しかい》の中《なか》で、なんとか発信《はっしん》ボタンをタップする――。

空港《くうこう》の駐車場《ちゅうしゃじょう》に止《と》めたマスタングの中《なか》で、昴《すばる》のスマホが小《ちい》さく震《ふる》え出《だ》した。

「もしもし？　どうした、ボウヤ！」

電話《でんわ》はコナンからだった。呼《よ》びかけたが、応答《おうとう》がない。

しばし待《ま》っていると――バンッ！　キキキィィ!!

背後《はいご》で、車《くるま》のドアが閉《し》まる音《おと》と急発進《きゅうはっしん》する音《おと》がした。振《ふ》り返《かえ》ると、黒《くろ》い車《くるま》が猛《もう》スピードで走《はし》っていく――。

昴《すばる》もマスタングのエンジンをかけ、発進《はっしん》させた。駐車場内《ちゅうしゃじょうない》を右折《うせつ》して出口《でぐち》へ向《む》かうと、いきなり一台《いちだい》のバイクが飛《と》び出《だ》してきた。急《きゅう》ハンドルを切《き》って、衝突寸前《しょうとつすんぜん》で回避《かいひ》する。

「誰《だれ》だ!?」

昴《すばる》と同様《どうよう》に衝突寸前《しょうとつすんぜん》でかわしたバイクは、後部席《こうぶせき》に中学生《ちゅうがくせい》くらいの子供《こども》が乗《の》っていた。二人《ふたり》ともフルフェイスのヘルメットを被《かぶ》り、顔《かお》は見《み》えない。

バイクのライダーはマスタングの運転席《うんてんせき》をチラリと見《み》やった。が、窓《まど》ガラスに光《ひかり》が反射《はんしゃ》してドライバーの姿《すがた》は見《み》えない。ライダーはアクセルをふかしてすぐに走《はし》り去《さ》った。

軽《かる》く舌打《したう》ちした昴《すばる》は、バイクを目《め》で追《お》いながらシフトチェンジすると、アクセルを踏《ふ》み込《こ》んだ。

6

名古屋国際空港病院《なごやこくさいくうこうびょういん》の駐車場《ちゅうしゃじょう》には、通報《つうほう》を受《う》けて駆《か》けつけたパトカーや機動隊《きどうたい》の車《くるま》が停《と》まっていた。

ガスマスクをつけた警官《けいかん》たちが慌《あわ》ただしく廊下《ろうか》を駆《か》け抜《ぬ》けていく。

二階《にかい》にある検査室《けんさしつ》のドアにはモップが斜《なな》めに立《た》てかけられていて、中《なか》から開《あ》けられないようになっていた。警官《けいかん》はモップを外《はず》して、ドアを開《あ》けた。

「!!」

室内《しつない》を見《み》た警官《けいかん》たちは、愕然《がくぜん》として息《いき》を飲《の》んだ。

うっすらと白煙《はくえん》が漂《ただよ》う室内《しつない》に、大勢《おおぜい》の人《ひと》が倒《たお》れていたのだ。子供《こども》から年配者《ねんぱいしゃ》まで、ざっと百人《ひゃくにん》はいるが、その誰《だれ》もがピクリとも動《うご》かない――。

空港《くうこう》の駐車場《ちゅうしゃじょう》から飛《と》び出《だ》したバイクは、人工島《じんこうとう》の空港《くうこう》から市街地《しがいち》に繋《つな》がる一本道《いっぽんみち》を走《はし》っていた。

後部席《こうぶせき》のメアリーが、真純《ますみ》の腰《こし》に手《て》を回《まわ》したまま、冷《つめ》たい口調《くちょう》で言《い》う。

「なんてザマだ、情《なさ》けない」

「しょうがないだろ、急《きゅう》に飛《と》び出《だ》した車《くるま》とぶつかるとこだったんだから！」

バイクを走《はし》らせる真純《ますみ》は、前《まえ》を向《む》いたまま叫《さけ》んだ。

そういえば、あの車《くるま》――ふと気《き》になってメアリーが後《うし》ろを振《ふ》り返《かえ》ると、駐車場《ちゅうしゃじょう》でぶつかりそうになったマスタングが後方《こうほう》を走《はし》っているのが見《み》えた。

前《まえ》を向《む》いている真純《ますみ》は気《き》づいていないようだ。

「でも大丈夫《だいじょうぶ》。名古屋国際空港《なごやこくさいくうこう》から市街地《しがいち》に繋《つな》がってる道《みち》はこれしかない」

そのとき、真純《ますみ》のジャケットのポケットで、スマホが震《ふる》えた。メアリーがポケットに手《て》を入《い》れて真純《ますみ》のスマホを取《と》り出《だ》すと、画面《がめん》に『吉兄《きちにい》』と表示《ひょうじ》されていた。秀吉《しゅうきち》からの着信《ちゃくしん》らしい。

メアリーはなんのためらいもなく、拒否《きょひ》ボタンをタップした。


名古屋城《なごやじょう》に隣接《りんせつ》する商業施設《しょうぎょうしせつ》、金《きん》シャチ横丁《よこちょう》――。

その入《い》り口近《ぐちちか》くに設置《せっち》された『@《アット》NAGOYA《なごや》』のオブジェの前《まえ》で、秀吉《しゅうきち》は真純《ますみ》に電話《でんわ》をかけた。が、呼《よ》び出《だ》し音《おん》が鳴《な》って早々《そうそう》に電話《でんわ》を切《き》られてしまった。

「わ、切《き》られた！　なんで……？」

驚《おどろ》いてスマホを見《み》つめていると、

「いた！　チュウ吉《きち》！」

金《きん》シャチ横丁《よこちょう》に並《なら》ぶお店《みせ》の方《ほう》から、由美《ゆみ》がヨタヨタとおぼつかない足取《あしど》りで歩《ある》いてきた。

「私《わたし》をお店《みせ》に待《ま》たせておいて、さっきからどこ電話《でんわ》してたのよ〜！」

「僕《ぼく》の、家族《かぞく》です」

秀吉《しゅうきち》は真面目《まじめ》な顔《かお》をして、由美《ゆみ》を見《み》た。

「え？」

「お付《つ》き合《あ》いしている女性《じょせい》として由美《ゆみ》さんを紹介《しょうかい》したかったんだけど、やっぱりまだ認《みと》めてくれてないのかも……」

そう言《い》ってスマホに目《め》を落《お》とす秀吉《しゅうきち》を、由美《ゆみ》がぼんやりと見《み》つめる。

「将棋《しょうぎ》のタイトル全《すべ》て獲《と》ったらプロポーズしたい人《ひと》がいるって、母《はは》に言《い》っちゃったから……」

意気消沈《いきしょうちん》する秀吉《しゅうきち》を前《まえ》に、由美《ゆみ》が腕《うで》を組《く》み、いきなり声《こえ》を張《は》り上《あ》げた。

「そんなタイトルの一《ひと》つや二《ふた》つ、どーでもいいでしょ！」

「え……」

「アンタはもう一番《いちばん》いいタイトルを手《て》に入《い》れてるんだから！　この宮本由美様《みやもとゆみさま》ってタイトルをね！」

「由美《ゆみ》さん……」

ズイッと顔《かお》を近《ちか》づけた由美《ゆみ》は、完全《かんぜん》に目《め》が据《す》わっていた。顔《かお》が赤《あか》く、むふーん、と鼻息《はないき》も荒《あら》い。

「……って由美《ゆみ》タン！　酔《よ》ってない!?」

「じぇーんじぇん！」

完全《かんぜん》に酔《よ》っ払《ぱら》っている由美《ゆみ》はバンザイして、そのままフラフラと後《うし》ろ向《む》きで歩《ある》いていく。

「ほら、店戻《みせもど》るわよ〜！」

「あぶないよ、由美《ゆみ》タン！」

秀吉《しゅうきち》は慌《あわ》てて由美《ゆみ》の後《あと》を追《お》いかけた。


「はう！」

床《ゆか》に座《すわ》り込《こ》んで気《き》を失《うしな》っていた小五郎《こごろう》は、ビクッと肩《かた》を跳《は》ね上《あ》げて目覚《めざ》めた。

頭《あたま》が重《おも》い。ここはどこだ。俺《おれ》は何《なに》をしていたんだっけ——。

ぼんやりとしながら周囲《しゅうい》を見《み》ると、大勢《おおぜい》の人《ひと》が床《ゆか》に倒《たお》れていた。何人《なんにん》かは起《お》きていて、医師《いし》が「どこか痛《いた》みはありますか？」と話《はな》しかけている。

ここが検査室《けんさしつ》だということを、小五郎《こごろう》は思《おも》い出《だ》した。

「蘭《らん》！　蘭《らん》は……!!」

慌《あわ》てて見回《みまわ》すと、蘭《らん》はそばでコナンや灰原《はいばら》と一緒《いっしょ》に倒《たお》れていた。四《よ》つん這《ば》いで駆《か》け寄《よ》り、蘭《らん》の体《からだ》を抱《だ》き上《あ》げる。

「蘭《らん》！」

軽《かる》く揺《ゆ》さぶりながら呼《よ》びかけると、蘭《らん》はゆっくりと目《め》を開《あ》けた。

「……新《しん》……一《いち》？」

「新一《しんいち》じゃねぇ！　俺《おれ》だ！」

「……お父《とう》さん……」

小五郎《こごろう》の顔《かお》を確認《かくにん》した蘭《らん》は、はっきりと目《め》が覚《さ》めた。

「コナン君《くん》と哀《あい》ちゃんは？」

「まだ気《き》を失《うしな》ってる。俺《おれ》はジョン社長《しゃちょう》の様子《ようす》を確認《かくにん》してくるから、起《お》こしといてくれ」

小五郎《こごろう》が立《た》ち上《あ》がり走《はし》っていくと、蘭《らん》は倒《たお》れているコナンに近《ちか》づいた。

「コナン君《くん》！　コナン君《くん》！」

体《からだ》を揺《ゆ》さぶられたコナンは、ハッと目覚《めざ》めた。

「蘭《らん》！」と飛《と》び起《お》きて、すぐに、しまったと気《き》づく。

「……姉《ねえ》ちゃん、大丈夫《だいじょうぶ》？」

「うん、なんともないみたい。コナン君《くん》は？」

大丈夫《だいじょうぶ》――と答《こた》えようとしたとき、

「いない！」

小五郎《こごろう》が血相《けっそう》を変《か》えて戻《もど》ってきた。「ジョン社長《しゃちょう》がいねぇ！」

「え？　わたしたちより先《さき》に起《お》きて、問診《もんしん》受《う》けてるとかじゃないの？」

「わかんねぇ！　だが、この場《ば》にいないのは確《たし》かだ！」

焦《あせ》る小五郎《こごろう》のそばで、コナンは犯人追跡《はんにんついせき》メガネを起動《きどう》させた。左《ひだり》のレンズのレーダーに赤《あか》い点《てん》が点滅《てんめつ》しながら移動《いどう》している。

（よし！　ジョンさんに仕掛《しか》けた発信機《はっしんき》は生《い》きてる！）

「蘭姉《らんねえ》ちゃん、灰原《はいばら》を頼《たの》む！」

コナンはそばに落《お》ちていたスマホを拾《ひろ》うと、出入口《でいりぐち》に向《む》かった。

「どこ行《い》くの!?」

「トイレ！」

廊下《ろうか》に飛《と》び出《だ》し、ロッカーからスケボーを取《と》り出《だ》して、一階《いっかい》に下《お》りる。

正面玄関《しょうめんげんかん》から病院《びょういん》を出《で》たコナンは、スケボーに乗《の》って道路《どうろ》を疾走《しっそう》した。空港《くうこう》がある人工《じんこう》島《とう》から海上橋《かいじょうきょう》を渡《わた》り、市街地《しがいち》へと続《つづ》く一本道《いっぽんみち》を進《すす》む。

路肩《ろかた》をスケボーで走《はし》りながら、ポケットから取《と》り出《だ》したスマホで電話《でんわ》をかけると、呼出《よびだし》音《おん》が鳴《な》るやいなや、昴《すばる》の声《こえ》が聞《き》こえてきた。

『ボウヤ！　何《なに》があった!?』

「ちょっと病院《びょういん》でトラブルに巻《ま》き込《こ》まれちゃって……」

『無事《ぶじ》ならいい』

「でも、ジョンさんが誘拐《ゆうかい》されてしまった」

『何《なに》？』

コナンは左目《ひだりめ》で犯人追跡《はんにんついせき》メガネのレーダーに映《うつ》る赤《あか》い点《てん》を見《み》た。レンズの向《む》こうに続《つづ》く道路《どうろ》の遥《はる》か先《さき》には、伊勢湾《いせわん》にかかる三《みっ》つの連続橋《れんぞくばし》——名港《めいこう》トリトンが見《み》える。

「発信機《はっしんき》の追跡《ついせき》をたどると、ジョンさんは今《いま》、空港《くうこう》からの一本道《いっぽんみち》を抜《ぬ》けておそらくトリトン大橋《おおはし》を東《ひがし》へ……追《お》える？」

『ああ……』

そのとき突然《とつぜん》、犯人追跡《はんにんついせき》メガネにノイズが走《はし》り、レーダーが乱《みだ》れた。

「ん？　ノイズ？」

さらに激《はげ》しくノイズが走《はし》り、レーダーが映《うつ》らなくなってしまった。

空港《くうこう》からの一本道《いっぽんみち》を北上《ほくじょう》していた真純《ますみ》は、複数《ふくすう》の道路《どうろ》が絡《から》み合《あ》うジャンクションにさしかかり、バイクを道路脇《どうろわき》に寄《よ》せて停《と》まった。

「こっからどっちに向《む》かったんだ……？」

巨大《きょだい》なジャンクションを見上《みあ》げる真純《ますみ》たちの横《よこ》を、次々《つぎつぎ》と車《くるま》が走《はし》っていき、昴《すばる》のマスタングも一際速《ひときわはや》いスピードで横切《よこぎ》る。

すると、後部座席《こうぶざせき》のメアリーが身《み》を乗《の》り出《だ》した。

「今《いま》の赤《あか》い車《くるま》を追《お》え！」

「え？　なんで？」

メアリーはゴホゴホと軽《かる》く咳《せき》をすると、強《つよ》い口調《くちょう》で言《い》った。

「いいから早《はや》く！」

「……了解《りょうかい》！」

真純《ますみ》はバイクを発進《はっしん》させ、言《い》われるがままにマスタングを追《お》った。

昴《すばる》の車《くるま》はジャンクションを通過《つうか》して、名港《めいこう》トリトンの西《にし》の赤《あか》い橋《はし》——名港西大橋《めいこうにしおおはし》を渡《わた》った。三車線《さんしゃせん》の道路《どうろ》を縫《ぬ》うようにして次々《つぎつぎ》と車《くるま》を追《お》い抜《ぬ》いていく。

ふとルームミラーに目《め》をやると——車両《しゃりょう》の間《あいだ》をすり抜《ぬ》けるようにして猛《もう》スピードで走《はし》ってくるバイクが見《み》えた。空港《くうこう》の駐車場《ちゅうしゃじょう》で飛《と》び出《だ》してきたバイクだ。

ヤマハのXT《エックスティー》４００E《イー》アルテシアに、グリーンのヘルメット——。

（あのバイクにメット……まさかな……）

こんなところにいるはずがない——頭《あたま》に浮《う》かんだ疑念《ぎねん》を打《う》ち消《け》した昴《すばる》は、アクセルを踏《ふ》み込《こ》んだ。

前方《ぜんぽう》を走《はし》る赤《あか》いマスタングが、さらにスピードを上《あ》げた。真純《ますみ》のバイクが、徐々《じょじょ》に引《ひ》き離《はな》されていく。

「あれ、誰《だれ》なんだよ！」

真純《ますみ》が後部座席《こうぶざせき》のメアリーをチラリと見《み》て叫《さけ》ぶ。

「いいから離《はな》されるな」

「わかってる！　もっと飛《と》ばすよ！」

真純《ますみ》は自分《じぶん》に気合《きあい》を入《い》れるように声《こえ》を発《はっ》して、アクセルグリップを手前《てまえ》に回《まわ》した。一気《いっき》に加速《かそく》して、前《まえ》を走《はし》っている車《くるま》をどんどん追《お》い抜《ぬ》いていく。

コナンは機能《きのう》しない犯人追跡《はんにんついせき》メガネを懸命《けんめい》に調節《ちょうせつ》しつつ、スケボーで名港西大橋《めいこうにしおおはし》を渡《わた》っていた。

「こんなときに故障《こしょう》かよ！」

ふと前方《ぜんぽう》を見《み》ると——目《め》の前《まえ》にハザードランプをつけた車《くるま》が停《と》まっていた。後部座席《こうぶざせき》に乗《の》った女性《じょせい》が迫《せま》ってくるコナンに驚《おどろ》いて「危《あぶ》ない！」と声《こえ》を上《あ》げる。

「!!」

コナンは後《うし》ろ足《あし》でスケボーのテールを蹴《け》って、大《おお》きくジャンプした。噴射口《ふんしゃこう》から噴出《ふんしゅつ》される強烈《きょうれつ》な風圧《ふうあつ》で車《くるま》を飛《と》び越《こ》え、着地《ちゃくち》した橋《はし》の欄干《らんかん》をキキキ……と火花《ひばな》を散《ち》らしながら滑《すべ》っていく。真下《ました》は海《うみ》で、貨物船《かもつせん》が通《とお》るこの橋《はし》は、海面《かいめん》まで四十《よんじゅう》メートルある。

（クソッ！　ここから落《お》ちたら死《し》んじまう！）

コナンはすばやく体《からだ》をひねって、スケボーを路肩《ろかた》に着地《ちゃくち》させた。

（あっぶねー！）

スケボーで走《はし》りながら胸《むね》をなで下《お》ろしたコナンは、探偵《たんてい》バッジを取《と》り出《だ》して口元《くちもと》に近《ちか》づけた。

「灰原《はいばら》！　起《お》きてるか!?　灰原《はいばら》！」


目《め》を覚《さ》ました灰原《はいばら》は、検査室《けんさしつ》のソファに座《すわ》っていた。室内《しつない》にはまだ一部《いちぶ》の人《ひと》が残《のこ》っていて、それぞれソファや椅子《いす》に座《すわ》って休《やす》んでいる。

ポケットに入《い》れた探偵《たんてい》バッジからコナンの声《こえ》が聞《き》こえてきて、灰原《はいばら》は探偵《たんてい》バッジを取《と》り出《だ》した。

「……起《お》こされたわよ。〝蘭姉《らんねえ》ちゃん〟に」

『無事《ぶじ》でよかった！　実《じつ》は——』

「ちょっと待《ま》って。移動《いどう》するから」

そう言《い》うと、ソファから立《た》ち上《あ》がって出入口《でいりぐち》へ向《む》かう。室内《しつない》には小五郎《こごろう》と蘭《らん》がいた。

スマホを耳《みみ》に当《あ》てた小五郎《こごろう》が「ダメだ！」とスマホを下《お》ろす。「ジョンさんの携帯《けいたい》の電《でん》源《げん》、入《はい》ってねえ」

廊下《ろうか》に出《で》た灰原《はいばら》は、再《ふたた》び探偵《たんてい》バッジを口元《くちもと》に近《ちか》づけた。

「あなたねぇ！　今《いま》どこに——」

『オレのメガネが壊《こわ》れちまったんだ！』

言葉《ことば》をさえぎられた灰原《はいばら》は、小《ちい》さく息《いき》をついた。

「……さっき、クエンチで倒《たお》れたときにでも壊《こわ》れたんじゃない？」

そばで話《はな》していた医師《いし》二人《ふたり》が『クエンチ』という言葉《ことば》を聞《き》いて、顔《かお》を見合《みあ》わせた。そしてすぐに廊下《ろうか》を走《はし》っていく。

『至急《しきゅう》、ジョンさんの位置《いち》を確認《かくにん》してくれ！』

「位置《いち》ってねぇ……」

灰原《はいばら》は眉《まゆ》をひそめ、壁《かべ》にもたれた。

「なんで私《わたし》が予備《よび》のメガネ持《も》ってきてるの知《し》ってんのよ？」

『だってお前《まえ》、用意《ようい》いいとこあるじゃねーか』

あっさり言《い》い当《あ》てるコナンに、灰原《はいばら》はちょっぴりシャクに障《さわ》ったが、緊急事態《きんきゅうじたい》なら仕方《しかた》がない。

「……ちょっと待《ま》ってなさい」

そう言《い》うと、ロッカーに向《む》かった。

「すみません！」

灰原《はいばら》の会話《かいわ》を聞《き》いて走《はし》り出《だ》した医師二人《いしふたり》は、一般人《いっぱんじん》でごった返《がえ》しているナースステーションに駆《か》け込《こ》んだ。

「クエンチが起《お》きた可能性《かのうせい》がある！　すぐMRI《エムアールアイ》技師《ぎし》を呼《よ》んでください！」

「は、はい！」

看護師《かんごし》は驚《おどろ》きつつも、すぐにナースコール親機《おやき》の館内放送《かんないほうそう》ボタンを押《お》し、受話器《じゅわき》を取《と》り上《あ》げた。


『MRI《エムアールアイ》技師《ぎし》の高橋《たかはし》さん。MRI《エムアールアイ》技師《ぎし》の高橋《たかはし》さん。至急《しきゅう》MRI室《エムアールアイしつ》へお越《こ》しください』

館内放送《かんないほうそう》が流《なが》れる中《なか》、灰原《はいばら》はロッカーから犯人追跡《はんにんついせき》メガネを取《と》り出《だ》して、自分《じぶん》の顔《かお》に掛《か》けた。つるにあるスイッチを押《お》して犯人追跡機能《はんにんついせききのう》を起動《きどう》させると、レーダーに赤《あか》い点《てん》が点滅《てんめつ》しはじめた。

「ジョンさんは本島《ほんとう》へ入《はい》って、東海《とうかい》インターあたりから南下《なんか》してるわ。この速《はや》さは、車《くるま》かバイクね」

ロッカーの前《まえ》で話《はな》す灰原《はいばら》の横《よこ》を、医師《いし》と警察官《けいさつかん》が「MRI室《エムアールアイしつ》だ！　急《いそ》げ！」と走《はし》り抜《ぬ》けていく。

灰原《はいばら》は探偵《たんてい》バッジを右胸《みぎむね》につけると、医師《いし》たちを追《お》った。

名港西大橋《めいこうにしおおはし》を渡《わた》り、潮見埠頭《しおみふとう》と金城埠頭《きんじょうふとう》に跨《また》る白《しろ》い斜張橋《しゃちょうきょう》——名港中央大橋《めいこうちゅうおうおおはし》を走《はし》る昴《すばる》に、コナンから電話《でんわ》がかかってきた。耳《みみ》にかけたワイヤレスヘッドセットの通話《つうわ》ボタンを押《お》す。

『昴《すばる》さん、ジョンさんは今《いま》——』

「聞《き》こえた、東海《とうかい》コンビナートだな！」

コナンと灰原《はいばら》の会話《かいわ》を傍受《ぼうじゅ》していた昴《すばる》は先《さき》に答《こた》えると、ハンドルを切《き》り、高速道路《こうそくどうろ》を下《お》りる。

バイクで昴《すばる》の車《くるま》を追《お》っていた真純《ますみ》の目《め》に、高速道路《こうそくどうろ》と立体交差《りったいこうさ》する道路《どうろ》を走《はし》るマスタングが留《と》まった。高速道路《こうそくどうろ》を下《お》りたのだ。

「見《み》つけた！」

真純《ますみ》は左車線《ひだりしゃせん》に移動《いどう》して、分岐《ぶんき》する道《みち》を進《すす》んで出口《でぐち》に向《む》かう。

高速道路《こうそくどうろ》を下《お》りたマスタングは海沿《うみぞ》いの道路《どうろ》を走《はし》っていた。その先《さき》は、海底《かいてい》トンネルだ。

「絶対追《ぜったいお》いつく！」

真純《ますみ》はさらにスピードを上《あ》げて、マスタングを追《お》った。

灰原《はいばら》はＭＲＩ《エムアールアイ》室《しつ》に向《む》かう医師《いし》たちを追《お》いかけて、廊下《ろうか》を走《はし》っていた。右胸《みぎむね》につけた探偵《たんてい》バッジから、コナンの声《こえ》が聞《き》こえてくる。

『灰原《はいばら》！　ジョンさんは⁉』

灰原《はいばら》は走《はし》りながら、犯人追跡《はんにんついせき》メガネのスイッチを押《お》した。左《ひだり》レンズにレーダーが映《うつ》る。

「今《いま》は東海《とうかい》コンビナート辺《あた》りで止《と》まってる。私《わたし》、これからMRI室《エムアールアイしつ》に入《はい》るから、内部《ないぶ》の磁《じ》気《き》でこのバッジやメガネなんかの電子機器《でんしきき》に異常《いじょう》が出《で》るかも」

医師《いし》たちはMRI室《エムアールアイしつ》に入《はい》っていき、灰原《はいばら》は扉《とびら》の前《まえ》で立《た》ち止《ど》まった。

「まぁ、クエンチを起《お》こしてるなら大丈夫《だいじょうぶ》とは思《おも》うけど」

『だから、クエンチってなんなんだよ！』

コナンの苛立《いらだ》った声《こえ》が聞《き》こえてきて、灰原《はいばら》は「あら」と意地悪《いじわる》げな笑《え》みを浮《う》かべる。

「さすがの名探偵《めいたんてい》さんも、クエンチは知《し》らないのね」

『わるかったな！』

「じゃあ教《おし》えてあげる。MRI《エムアールアイ》にはね、超電導磁石《ちょうでんどうじしゃく》が使《つか》われているの。その温度《おんど》を低《ひく》く保《たも》つために、液体《えきたい》ヘリウムが使《つか》われている。ヘリウムは低温《ていおん》に保《たも》たれているから、液体《えきたい》になるの」

灰原《はいばら》は説明《せつめい》しながら、MRI装置《エムアールアイそうち》を頭《あたま》に描《えが》いた。患者《かんじゃ》が入《はい》る大《おお》きなトンネルの内部《ないぶ》には、超電導磁石《ちょうでんどうじしゃく》を冷却《れいきゃく》する大量《たいりょう》の液体《えきたい》ヘリウムが入《はい》っている。

「でも、この温度《おんど》が何《なん》らかの原因《げんいん》で上《あ》がると、爆発的《ばくはつてき》に気化《きか》する。素人目《しろうとめ》にはそれが大量《たいりょう》の白《しろ》い煙《けむり》を出《だ》す爆発《ばくはつ》に見《み》えるのよ」

『それが、クエンチか！』

「そう。クエンチが起《お》こると、ヘリウムガスが酸素濃度《さんそのうど》を急激《きゅうげき》に下《さ》げるから、数分《すうふん》で命《いのち》に関《かか》わるわ。でも、そうならないための安全装置《あんぜんそうち》があるはずなのに、なんで……」

灰原《はいばら》はＭＲＩ室《エムアールアイしつ》に入《はい》った。

巨大《きょだい》な装置《そうち》のトンネル部分《ぶぶん》にはひしゃげたストレッチャーが突《つ》っ込《こ》まれ、そばの床《ゆか》には点滴《てんてき》スタンドが落《お》ちていた。隣《となり》の制御室《せいぎょしつ》の窓《まど》ガラスには大《おお》きなヒビが入《はい》っている。

先《さき》に入《はい》っていた医師《いし》は床《ゆか》にしゃがみ、倒《たお》れている点滴《てんてき》スタンドを見《み》つめた。

「ＭＲＩ《エムアールアイ》に対応《たいおう》していない材質《ざいしつ》の点滴《てんてき》スタンドだ」

「しかもＭＲＩ《エムアールアイ》の緊急停止《きんきゅうていし》ボタンが押《お》されています！」

ＭＲＩ装置《エムアールアイそうち》の液晶《えきしょう》パネルをチェックしていたＭＲＩ技師《エムアールアイぎし》が叫《さけ》ぶ。

医師《いし》たちと一緒《いっしょ》に入《はい》ってきた警察官《けいさつかん》が「どういうことですか？」とたずねると、ＭＲＩ《エムアールアイ》技師《ぎし》はひしゃげたストレッチャーに触《ふ》れた。

「こういった物《もの》がＭＲＩ《エムアールアイ》の超電導磁石《ちょうでんどうじしゃく》にくっつき、誰《だれ》かが慌《あわ》てて緊急停止《きんきゅうていし》ボタンを押《お》したため、クエンチを起《お》こしたんだと思《おも》います」

ＭＲＩ室《エムアールアイしつ》の扉《とびら》の前《まえ》で立《た》っていた灰原《はいばら》は、ＭＲＩ装置《エムアールアイそうち》に近《ちか》づいた。

「でも普通《ふつう》、緊急停止《きんきゅうていし》ボタンを押《お》すと、病院内《びょういんない》の配管《はいかん》は全《すべ》て閉《と》じるはずでしょう？」

子供《こども》に言《い》われて、医師《いし》は「え？」と目《め》を丸《まる》くした。が、すぐに考《かんが》え込《こ》んで、

「そうだ。煙《けむり》が出《で》たら院内《いんない》の配管《はいかん》は閉《と》じて、外《そと》へ繋《つな》がる配管《はいかん》だけが開《ひら》くはずだ。それなのにどうして……」

医師《いし》の言葉《ことば》を聞《き》いて、MRI《エムアールアイ》技師《ぎし》は何《なに》かを思《おも》いついたように突然走《とつぜんはし》り出《だ》した。

「どちらへ？」警察官《けいさつかん》がたずねる。

「制御室《せいぎょしつ》の方《ほう》へ来《き》てください！」

制御室《せいぎょしつ》に入《はい》ったMRI《エムアールアイ》技師《ぎし》は、操作卓《そうさたく》に向《む》かい、キーボードを打《う》った。空調《くうちょう》システムの管理画面《かんりがめん》が表示《ひょうじ》される。

「二階《にかい》フロアへ繋《つな》がる配管《はいかん》を開《ひら》きっぱなしにし、代《か》わりに排気設備《はいきせつび》がフル稼働《かどう》するように設定《せってい》されています！」

「聞《き》こえた？」灰原《はいばら》は胸《むね》につけた探偵《たんてい》バッジを引《ひ》っ張《ぱ》って口《くち》に近《ちか》づけた。

「だから二階《にかい》だけに煙《けむり》が充満《じゅうまん》したのよ。でも排気設備《はいきせつび》がフル稼働《かどう》していたから、充満《じゅうまん》した煙《けむり》がすぐに排出《はいしゅつ》され、私《わたし》たちは酸欠《さんけつ》にならずにすんだみたいね」

高速道路《こうそくどうろ》を下《お》りたコナンは、昴《すばる》や真純《ますみ》が通《とお》った道《みち》をスケボーで走《はし》っていた。

「犯人《はんにん》がわざとそうしたのか⁉」

探偵《たんてい》バッジに向《む》けてたずねると、すぐに『でしょうね』と返《かえ》ってきた。

『だとしたら……この犯人《はんにん》、人《ひと》を殺《ころ》す意志《いし》がない』

「そうか！」

灰原《はいばら》の言葉《ことば》を聞《き》いて、コナンは今《いま》まで疑問《ぎもん》に思《おも》っていた犯人《はんにん》の行動《こうどう》に合点《がてん》がいった。

「だから拉致《らち》したターゲットをすぐ見《み》つかる場所《ばしょ》に放置《ほうち》した……」

三塚社長《みつづかしゃちょう》はゴルフ場《じょう》のトイレで、史郎《しろう》はホテルの厨房《ちゅうぼう》で、いずれも拉致《らち》された場所《ばしょ》からすぐのところで見《み》つかったのだ。

となると、ジョンさんも――……。

コナンが交差点《こうさてん》を渡《わた》ったとき、ポケットのスマホが鳴《な》った。昴《すばる》からの着信《ちゃくしん》だ。

「もしもし」

『東海《とうかい》コンビナートに着《つ》いた』


大規模《だいきぼ》な製鉄所《せいてつじょ》を中心《ちゅうしん》に構成《こうせい》された東海《とうかい》コンビナート――。

名古屋港《なごやこう》に面《めん》したその広大《こうだい》な敷地《しきち》では、巨大《きょだい》な高炉《こうろ》や赤白《あかしろ》に塗装《とそう》された巨大《きょだい》な煙突《えんとつ》から白煙《はくえん》がもうもうと噴《ふ》き出《だ》していた。

昴《すばる》の車《くるま》は、コンビナートの外《はず》れにある倉庫街《そうこがい》をゆっくりと走《はし》っていた。人気《ひとけ》のない倉庫《そうこ》街《がい》は、ときおり海《うみ》から吹《ふ》く風《かぜ》で砂《すな》ぼこりが舞《ま》う。

「ターゲットはどこにいる？」

『もう近《ちか》くだよ。ジョンさんに動《うご》きはない』

昴《すばる》はワイヤレスヘッドセットでコナンと会話《かいわ》しながら、右折《うせつ》して、立《た》ち並《なら》ぶ倉庫《そうこ》を注意《ちゅうい》深《ぶか》く見《み》ていった。

すると――一《いっ》カ所《しょ》だけ、扉《とびら》が半開《はんびら》きになっている倉庫《そうこ》があった。道路《どうろ》に残《のこ》った新《あたら》しいタイヤの跡《あと》が、その扉《とびら》に続《つづ》いている――。

昴《すばる》は扉《とびら》の前《まえ》に車《くるま》を停《と》めた。車《くるま》から降《お》りて、扉《とびら》の隙間《すきま》から中《なか》の様子《ようす》をうかがう。

扉《とびら》の隙間《すきま》からわずかな外光《がいこう》が差《さ》し込《こ》むだけで、無人《むじん》の倉庫《そうこ》の中《なか》は暗《くら》い。

昴《すばる》は中《なか》へ入《はい》っていった。がらんとした倉庫《そうこ》は物音《ものおと》一《ひと》つせず、外光《がいこう》が届《とど》かない奥《おく》の方《ほう》は完《かん》全《ぜん》な闇《やみ》になっている。

だが、昴《すばる》は何《なに》かの気配《けはい》を感《かん》じた。

この奥《おく》に何《なに》かがいる――足《あし》を踏《ふ》み出《だ》した瞬間《しゅんかん》、扉《とびら》の方《ほう》でブウゥン！　とバイクのアクセルをふかす音《おと》がした。

振《ふ》り返《かえ》ると、ヘッドライトをつけたバイクが猛《もう》スピードで突進《とっしん》してきた。昴《すばる》がすばやくかわす。空港《くうこう》の駐車場《ちゅうしゃじょう》でぶつかりそうになった、あの二人乗《ふたりの》りのバイクだ。

「またあのバイク！」

通《とお》り過《す》ぎたバイクは、すぐに後輪《こうりん》を滑《すべ》らせてターンした。ターンするバイクからメアリーが飛《と》び降《お》り、さらに真純《ますみ》が昴《すばる》に向《む》かって飛《と》びかかる。

昴《すばる》は真純《ますみ》の飛《と》び蹴《げ》りを、すんでのところでかわした。昴《すばる》が体勢《たいせい》を立《た》て直《なお》す暇《ひま》もなく、すぐに後《うし》ろ回《まわ》し蹴《げ》りがくる。ぎりぎりでかわした昴《すばる》は、すばやく後《うし》ろに引《ひ》いて距離《きょり》を取《と》った。

倉庫内《そうこない》は暗《くら》くて、互《たが》いのシルエットはかろうじて見《み》えるものの、顔《かお》までは判別《はんべつ》できない。

相手《あいて》と距離《きょり》を取《と》った昴《すばる》は、利《き》き手《て》の左手《ひだりて》を前《まえ》に出《だ》して構《かま》えた。截拳道《ジークンドー》と呼《よ》ばれる武道《ぶどう》の構《かま》えだ。対《たい》して、真純《ますみ》もトントンとその場《ば》で小《ちい》さく跳《は》ねると、右手《みぎて》を前《まえ》に同《おな》じ構《かま》えをした。

真純《ますみ》より先《さき》にバイクから飛《と》び降《お》りたメアリーは、柱《はしら》の陰《かげ》から牽制《けんせい》しあう二人《ふたり》を見届《みとど》けると、倉庫《そうこ》の奥《おく》へと向《む》かった。真純《ますみ》がいきなり昴《すばる》に攻撃《こうげき》を仕掛《しか》けたのは、昴《すばる》を引《ひ》きつけて、メアリーから注意《ちゅうい》をそらすためだった。

先《さき》に飛《と》び出《だ》して攻撃《こうげき》を仕掛《しか》けたのは、真純《ますみ》だった。昴《すばる》が軽《かる》くかわし、回《まわ》し蹴《げ》りを放《はな》つ。すばやく身《み》をかがめてかわした真純《ますみ》は、ジャブを二回《にかい》放《はな》ち、さらに足元《あしもと》に蹴《け》りを入《い》れた。ガードが下《さ》がった昴《すばる》にすかさず上段蹴《じょうだんげ》りを放《はな》ち、さらに右《みぎ》、左《ひだり》と連続蹴《れんぞくげ》りで攻《せ》める。

「クッ！」

昴《すばる》は回《まわ》し蹴《げ》りを放《はな》つ真純《ますみ》の左足《ひだりあし》をつかみ、頭部《とうぶ》を狙《ねら》って蹴《け》りを放《はな》った。ガスッ！とヘルメットをかすめる音《おと》がする。

真純《ますみ》は右足《みぎあし》で、左足《ひだりあし》をつかんでいる昴《すばる》の手《て》を蹴《け》り上《あ》げた。そのまま側宙《そくちゅう》して離《はな》れ、再《ふたた》び截拳道《ジークンドー》の構《かま》えを取《と》る。

暗闇《くらやみ》で相手《あいて》の姿《すがた》はまともに見《み》えないが、相手《あいて》の攻撃《こうげき》をよけると同時《どうじ》に攻撃《こうげき》を加《くわ》える技《わざ》──トラッピングの素早《すばや》さは、自分《じぶん》と全《まった》く同《おな》じ──。

(この感触《かんしょく》は……截拳道《ジークンドー》!)

暗闇《くらやみ》の中《なか》で対峙《たいじ》する昴《すばる》も、相手《あいて》が同《おな》じ截拳道使《ジークンドーつか》いだと感《かん》じ取《と》った。

何者《なにもの》だ——。

正体《しょうたい》を探《さぐ》るかのように、互《たが》いに構《かま》えたまま動《うご》かない。

するとそのとき、倉庫《そうこ》の電動扉《でんどうとびら》が左右《さゆう》に開《ひら》き始《はじ》めた。倉庫《そうこ》の奥《おく》に進《すす》んでいたメアリーは外光《がいこう》をうけてハッと立《た》ち止《ど》まったが、すぐさま奥《おく》へ駆《か》け出《だ》す。

暗闇《くらやみ》の先《さき》からブオンと車《くるま》のエンジンのかかる音《おと》がしたかと思《おも》うと、目《め》の前《まえ》に黄色《きいろ》く輝《かがや》く二《ふた》つの光《ひかり》が現《あらわ》れた。黒《くろ》い車《くるま》が猛《もう》スピードで突進《とっしん》してきたのだ。

メアリーはとっさに横《よこ》に飛《と》びのいた。黒《くろ》い車《くるま》はそのまま直進《ちょくしん》して扉《とびら》から飛《と》び出《だ》し、倉庫《そうこ》の前《まえ》に停《と》めてあったマスタングにテールをぶつけて走《はし》っていく。

昴《すばる》が扉《とびら》の方《ほう》を振《ふ》り向《む》いて舌打《したう》ちした瞬間《しゅんかん》——真純《ますみ》のハイキックが飛《と》んできた。すばやくかわして回《まわ》り込《こ》み、真純《ますみ》の足《あし》を叩《たた》き落《お》とす。さらに間髪《かんぱつ》入《い》れずにパンチを繰《く》り出《だ》した。

一発目《いっぱつめ》はかろうじてかわした真純《ますみ》だが、続《つづ》けて飛《と》んできた二発目《にはつめ》はかわせなかった。

(つ、強《つよ》い! このままじゃやられる……!!)

昴《すばる》のパンチをヘルメットで受《う》けた真純《ますみ》の体《からだ》が、宙《ちゅう》に飛《と》ぶ。すると、その後《うし》ろから高《たか》くジャンプしたメアリーが、入《い》れ替《か》わるように昴《すばる》めがけて飛《と》び込《こ》んできた。

昴《すばる》が身構《みがま》える間《ま》もなく、メアリーの飛《と》び蹴《げ》りが決《き》まった。身《み》をひるがえして振《ふ》り返《かえ》る昴《すばる》に、メアリーはさらに蹴《け》りを入《い》れ、昴《すばる》の頭《あたま》を飛《と》び越《こ》えて後《うし》ろ蹴《げ》りを決《き》める。

昴《すばる》はつんのめりながら、背後《はいご》を見《み》た。

（この子供《こども》……まさか……！）

すると今度《こんど》は倒《たお》れた真純《ますみ》も攻撃《こうげき》を仕掛《しか》けてきた。真純《ますみ》の蹴《け》りをさばく昴《すばる》に、メアリーが
すかさずスライディングして足払《あしばら》いを掛《か》けると、真純《ますみ》が飛《と》び蹴《げ》りを繰《く》り出《だ》す。

跳《と》び上《あ》がった真純《ますみ》が、扉《とびら》から差《さ》し込《こ》む光《ひかり》に照《て》らされて――ヘルメットに覆《おお》われた顔《かお》が一《いっ》
瞬《しゅん》あらわになった。

（やはり真純《ますみ》か――!?）

真純《ますみ》の蹴《け》りが、昴《すばる》の顎《あご》に決《き》まった。変装《へんそう》のマスクの一部《いちぶ》が剥《は》がれかかり、真純《ますみ》はそれを
見逃《みのが》さなかった。

「それって変装《へんそう》だよね。アンタいったい何者《なにもの》なんだ!?」

外光《がいこう》を背《せ》に受《う》けた真純《ますみ》は、暗闇《くらやみ》でひざをつく昴《すばる》に向《む》かって叫《さけ》んだ。すると、

「世良《せら》の姉《ねえ》ちゃん！」

スケボーに乗《の》ったコナンが外《そと》から現《あらわ》れた。

「コナン君《くん》！」

「なんでここにいるの!?」

スケボーを下《お》りたコナンが、倉庫《そうこ》に入《はい》ってくる。

「え⁉　あ、ちょっと探《さが》してる人《ひと》がいてね」

「わざわざこんな工場《こうじょう》まで⁉」

「こっちにも事情《じじょう》があるんだよ」

コナンが真純《ますみ》の注意《ちゅうい》をひきつけている間《あいだ》に、昴《すばる》は立《た》ち上《あ》がって駆《か》け出《だ》した。外《そと》に出《で》てすばやくマスタングに乗《の》り込《こ》むと、黒《くろ》い車《くるま》が走《はし》り去《さ》った方向《ほうこう》へ進《すす》む。

そのとき、真純《ますみ》のジャケットのポケットの中《なか》で、スマホが震《ふる》えた。メアリーからのメッセージだ。

【先《さき》に行《い》け】

メッセージを呼《よ》んだ真純《ますみ》は、倉庫《そうこ》の奥《おく》をチラリと見《み》た。バイクのそばにメアリーのヘルメットが置《お》いてあるが、メアリーの姿《すがた》はない。

メアリーは柱《はしら》の陰《かげ》に身《み》を潜《ひそ》めていた。

(私《わたし》は今《いま》、あの子《こ》に会《あ》うわけにはいかない)

(わかったよ、ママ)

メアリーの心《こころ》の声《こえ》を聞《き》いた真純《ますみ》が、柱《はしら》の方《ほう》を見《み》て小《ちい》さくうなずく。すると、険《けわ》しい顔《かお》をしたコナンがたずねた。

「世良《せら》の姉《ねえ》ちゃん、探《さが》してる人《ひと》って、もしかしてジョンさん？」

「……やっぱり君《きみ》は鋭《するど》いなぁ」

ヘルメットのバイザーを上《あ》げて顔《かお》を見《み》せた真純《ますみ》は、「そうだよ」と笑《え》みを浮《う》かべる。

コナンはくるりと外《そと》を向《む》いた。

「ジョンさんの居場所《いばしょ》ならわかるよ」

「え？」

「ボクについてきて！」

「あ、ちょっと！」

駆《か》け出《だ》すコナンを呼《よ》び止《と》めた真純《ますみ》は、コナンが持《も》っていたスケボーをボディバッグに突《つ》っ込《こ》んだ。そして床《ゆか》に置《お》かれたメアリーのヘルメットを拾《ひろ》い上《あ》げると、コナンに渡《わた》して、バイクに乗《の》る。

コナンを後部座席《こうぶざせき》に乗《の》せたバイクは、黒《くろ》い車《くるま》が走《はし》り去《さ》った方向《ほうこう》へ向《む》かった。コンビナートを抜《ぬ》け、名古屋港《なごやこう》に続《つづ》く道《みち》を走《はし》る。

「世良《せら》の姉《ねえ》ちゃんはなんでここに？」

「病院《びょういん》のロビーで見《み》たんだ」

それは、真純《ますみ》が病院《びょういん》を監視《かんし》しているときのことだった。

クエンチの煙《けむり》でロビーが一瞬《いっしゅん》で真《ま》っ白《しろ》になり、ロビーにいた人《ひと》たちは慌《あわ》てふためいた。何《なに》が起《お》こったんだ――パニックになった人《ひと》たちが逃《に》げ出《だ》す中《なか》、真純《ますみ》がふと窓《まど》の方《ほう》を見《み》ると、大《おお》きなトランクを二個《にこ》積《つ》んだ電動《でんどう》カートが駐車場《ちゅうしゃじょう》を走《はし》り去《さ》っていったのだ。

「そのカートは爆発《ばくはつ》でパニックになってる中《なか》を平然《へいぜん》と走《はし》ってた。それも、空港《くうこう》で走《はし》っていいスピードを明《あき》らかに超《こ》えてね」

「運転《うんてん》してた人《ひと》の顔《かお》は？」

「一瞬《いっしゅん》で見《み》えなかったけど、体格《たいかく》から見《み》て男《おとこ》だった」

コナンは、史郎《しろう》を発見《はっけん》したホテルの厨房《ちゅうぼう》に脱《ぬ》ぎ捨《す》ててあったホテルスタッフの制服《せいふく》を思《おも》い出《だ》した。あれも男物《おとこもの》の制服《せいふく》だった。

それに、小五郎《こごろう》によると、ジョンはバーで酔《よ》って隣《となり》にいた男《おとこ》の客《きゃく》に三塚社長《みつづかしゃちょう》や史郎《しろう》のことを話《はな》してしまったと言《い》っていた。

「犯人《はんにん》は男《おとこ》……」

コナンがつぶやいたとき、探偵《たんてい》バッジから『そこよ！』と灰原《はいばら》の声《こえ》が聞《き》こえてきた。

『ジョンさんの発信機《はっしんき》はその辺《へん》！』

「え⁉」

真純《ますみ》は慌《あわ》ててブレーキのレバーを握《にぎ》り、フットペダルを踏《ふ》み込《こ》んだ。バイクが完全《かんぜん》に止《と》まる前《まえ》にコナンが飛《と》び降《お》りる。

「この辺《へん》にジョン・ボイドがいるのか⁉」

そこは名古屋港《なごやこう》ガーデン埠頭《ふとう》の歩道橋《ほどうきょう》が架《か》かった交差点《こうさてん》だった。真純《ますみ》は歩道橋《ほどうきょう》の柱《はしら》の近《ちか》くにバイクを停《と》め、コナンに駆《か》け寄《よ》る。ヘルメットを脇《わき》に抱《かか》えたコナンは、周囲《しゅうい》を見回《みまわ》した。

「犯人《はんにん》は、拉致《らち》した人《ひと》をすぐ見《み》つかる場所《ばしょ》に放置《ほうち》していた」

三塚社長《みつづかしゃちょう》はゴルフ場《じょう》のトイレ、史郎《しろう》はホテルの厨房《ちゅうぼう》と見《み》つけやすい場所《ばしょ》だった。となれば、ジョンもこの交差点《こうさてん》の見《み》つけやすい場所《ばしょ》にいるはずだ。

『今回《こんかい》もその可能性《かのうせい》はあるわね』灰原《はいばら》も同《おな》じ考《かんが》えのようだった。

コナンはポケットからスマホを取《と》り出《だ》した。

「ジョンさんの携帯《けいたい》を鳴《な》らしてみる」

「番号《ばんごう》を知《し》ってるのか？」

「参加者《さんかしゃ》の名簿《めいぼ》を見《み》たとき覚《おぼ》えたんだ」

コナンがジョンの携帯番号《けいたいばんごう》を押《お》そうとすると、

『そういえばジョンさんの携帯《けいたい》、今電源入《いまでんげんはい》ってないみたいよ』

探偵《たんてい》バッジから灰原《はいばら》の声《こえ》が聞《き》こえてきた。検査室《けんさしつ》で小五郎《こごろう》がジョンの携帯《けいたい》に電話《でんわ》をかけたが、電源《でんげん》が入《はい》っていなくて繫《つな》がらなかったのだ。

「いや、犯人《はんにん》がオレが思《おも》ってるようなヤツだったら……」

コナンは発信《はっしん》ボタンをタップした。プププ……と呼《よ》び出《だ》し音《おん》が鳴《な》る。

コナンと真純《ますみ》は耳《みみ》をすました。すると、車《くるま》の行《ゆ》き交《か》う音《おと》や風《かぜ》の音《おと》に混《ま》じって、かすかにどこからか携帯《けいたい》の着信音《ちゃくしんおん》が聞《き》こえてくる。

「聞《き》こえる……どこだ？」

真純《ますみ》は辺《あた》りを見回《みまわ》す。目《め》を閉《と》じて耳《みみ》をすましていたコナンは、「わかった」と目《め》を開《あ》けた。

「上《うえ》からだ！」

コナンが見上《みあ》げた方向《ほうこう》には、歩道橋《ほどうきょう》があった。

「よし、行《い》こう！」

「ああ！」

二人《ふたり》は歩道橋《ほどうきょう》の階段《かいだん》に回《まわ》り、駆《か》け上《あ》がった。そして橋《はし》の部分《ぶぶん》に差《さ》し掛《か》かると、

「見《み》つけた！」

気《き》を失《うしな》ったジョンが柵《さく》にもたれかかるようにして座《すわ》っていた。その口《くち》にはガムテープが貼《は》られ、両手《りょうて》は結束《けっそく》バンドで縛《しば》られている。そばには空港《くうこう》からジョンを入《い》れて運《はこ》んだと思《おも》われる大型《おおがた》トランクが置《お》かれていた。

「なんでこんな人目《ひとめ》につくところに……」

「それは犯人《はんにん》がジョンさんを殺《ころ》すつもりがないからだよ」

コナンはそう言《い》って、ジョンに近《ちか》づいた。ジョンのスーツのポケットには、光《ひか》り鳴《な》っているスマホが入《はい》っていた。

その頃《ころ》。リニア体験乗車《たいけんじょうしゃ》の参加者《さんかしゃ》たちは、空港内《くうこうない》のレストランで食事《しょくじ》を取《と》っていた。灰《はい》原《ばら》も小五郎《こごろう》や蘭《らん》と一緒《いっしょ》にひつまぶしを食《た》べる。

「んめ〰〰！　やっぱ名古屋《なごや》に来《き》たらひつまぶし食《く》わなきゃな〜」

満面《まんめん》の笑《え》みでひつまぶしを頬張《ほおば》る小五郎《こごろう》とは対照的《たいしょうてき》に、灰原《はいばら》は茶碗《ちゃわん》によそったひつまぶしをフーフーと冷《さ》まして、少量《しょうりょう》を口《くち》に運《はこ》ぶ。すると、席《せき》を外《はず》していた蘭《らん》が携帯電話《けいたいでんわ》を片手《かたて》に小走《こばし》りでやってきた。

「お父《とう》さん、お父《とう》さん！　新一《しんいち》から今連絡《いまれんらく》が来《き》て、ジョンさん見《み》つかったって！」

「あぁ？　なんであの探偵《たんてい》ボウズがそんな電話《でんわ》してくんだよ」

「いいから早《はや》く係《かかり》の人《ひと》に知《し》らせてきて！」

蘭《らん》に急《せ》かされて、小五郎《こごろう》は仕方《しかた》なく立《た》ち上《あ》がった。

「そのひつまぶし、冷《さ》めないように見張《みは》っとけよ！」

「はいはい」

店《みせ》の外《そと》へ走《はし》っていく小五郎《こごろう》を見送《みおく》った蘭《らん》は、携帯電話《けいたいでんわ》を耳《みみ》に当《あ》てた。

「ありがとね、新一《しんいち》」

携帯電話《けいたいでんわ》で話《はな》している蘭《らん》の背中《せなか》を見《み》ていた灰原《はいばら》は、胸《むね》につけた探偵《たんてい》バッジに目《め》をやった。

「……ったく。こっちにも連絡《れんらく》よこしなさいよ」

コナンと真純《ますみ》は気《き》を失《うしな》っているジョンを起《お》こすと、近《ちか》くの公園《こうえん》に移動《いどう》してベンチに座《すわ》らせた。真純《ますみ》が警察《けいさつ》に通報《つうほう》して、コナンはいくぶん落《お》ち着《つ》いてきたジョンに質問《しつもん》をする。

「ジョンさん。誘拐《ゆうかい》されたときのこと、何《なに》か覚《おぼ》えてる？」

「あのときは……突然《とつぜん》、白《しろ》い煙《けむり》に包《つつ》まれて、息苦《いきぐる》しくなって……」

ジャケットを脱《ぬ》いでネクタイを緩《ゆる》めたジョンは「ただ……」と続《つづ》けた。

「一度目《いちどめ》が覚《さ》めたとき、車《くるま》の中《なか》にいて……隣《となり》に誰《だれ》かが乗《の》っていたような……」

「それって犯人《はんにん》？」

ジョンの前《まえ》で片膝《かたひざ》をついた真純《ますみ》がたずねる。

「わからない……」

「男《おとこ》か女《おんな》かは？」

コナンが訊《き》くと、ジョンは少《すこ》し考《かんが》えて、わからないと首《くび》を横《よこ》に振《ふ》った。

食事《しょくじ》を終《お》えた小五郎《こごろう》たちが店《みせ》の外《そと》に出《で》ると、リニア体験乗車《たいけんじょうしゃ》に参加《さんか》する子供《こども》たちが「え～っ！」と落胆《らくたん》の声《こえ》を上《あ》げた。

「じゃあリニア乗《の》れないのー？」

「検査《けんさ》の結果《けっか》、異常《いじょう》なしだったのに」

井上《いのうえ》と一緒《いっしょ》に子供《こども》たちの前《まえ》にいたエリーは、困《こま》った顔《かお》をしながら身《み》をかがめた。

「うん、でもね。またさっきみたいなことが起《お》きたら大変《たいへん》だから、みんなはまた新幹線《しんかんせん》で東京《とうきょう》へ戻《もど》ったほうがいいっていうことになったのよ」

「え〜〜〜」「リニアに乗《の》りたいよぉ！」

子供《こども》たちはエリーの説明《せつめい》に納得《なっとく》がいかないようで、さらにぐずり出《だ》した。それを見《み》ていた小五郎《こごろう》が、ビシッとスーツの襟《えり》を正《ただ》す。

「エリーさんが困《こま》っている！　ここは俺《おれ》がガツンと……」

と歩《あゆ》み寄《よ》ろうとしたとき、バタバタと足音《あしおと》を響《ひび》かせて舞子《まいこ》がやってきた。

「エリーさん！　井上《いのうえ》さん！　こっちにアラン会長《かいちょう》来《き》てませんか⁉」

「僕《ぼく》は見《み》てないですね」

「私《わたし》も」

「病院《びょういん》も会議室《かいぎしつ》も探《さが》したんですが、どこにもアラン会長《かいちょう》がいないの！」

舞子《まいこ》の言葉《ことば》を聞《き》いて、小五郎《こごろう》と蘭《らん》は顔《かお》を見合《みあ》わせた。

「もしかしてジョンさんと一緒《いっしょ》に？」

「かもしれん」

小五郎《こごろう》たちの後《うし》ろにいた灰原《はいばら》は、険《けわ》しい表情《ひょうじょう》で舞子《まいこ》たちの会話《かいわ》を聞《き》いていた。

真純《ますみ》が警察《けいさつ》に通報《つうほう》してからかなりの時間《じかん》が経《た》って、ようやくパトカーがやってきた。パトカーから降《お》りた二人《ふたり》の警察官《けいさつかん》が、ベンチに腰《こし》かけるジョンの元《もと》へ駆《か》け寄《よ》ってくる。

「110番通報《ばんつうほう》した方《かた》ですね」

「そうだけど遅《おそ》いよ！」

真純《ますみ》がキレ気味《ぎみ》に言《い》うと、警察官《けいさつかん》は「すみません」と頭《あたま》を下《さ》げた。

「空港《くうこう》で爆発《ばくはつ》があって、名古屋市内《なごやしない》の警察官《けいさつかん》の多《おお》くがそちらに取《と》られてしまって……」

「とにかくこの人《ひと》を早《はや》く病院《びょういん》へ！」

ジョンはベンチからゆっくりと立《た》ち上《あ》がると、

「君《きみ》たちが助《たす》けてくれて本当《ほんとう》によかった。ありがとう」

と軽《かる》く頭《あたま》を下《さ》げ、警察官《けいさつかん》に支《ささ》えられながら歩《ある》いていった。

「どういたしまして！」

「お大事《だいじ》にね、ジョンさん」

ジョンを見送《みおく》ると、真純《ますみ》はポケットからスマホを取《と》り出《だ》し、メールを打《う》ちはじめた。

(これで任務完了《にんむかんりょう》っと！)

同《おな》じ頃《ころ》。東海《とうかい》コンビナートの倉庫《そうこ》から脱出《だっしゅつ》したメアリーは、英国大使館《えいこくたいしかん》の公用車《こうようしゃ》に乗《の》って東京《とうきょう》へ向《む》かっていた。

後部座席《こうぶざせき》に座《すわ》るメアリーのスマホに、真純《ますみ》からメールが届《とど》く。

「イギリスの要人《ようじん》は守《まも》れたか……よくやった、真純《ますみ》」

メールを読《よ》むメアリーの顔《かお》がふと和《やわ》らぎ、子供《こども》を慈《いつく》しむ母《はは》の表情《ひょうじょう》になった。

コナンと真純《ますみ》は、ジョンが座《すわ》っていたベンチに腰《こし》かけて、探偵《たんてい》バッジの灰原《はいばら》の声《こえ》を聞《き》く。

『私《わたし》たち、新幹線《しんかんせん》で帰《かえ》ることになったわ』

「え？」

「リニアは走《はし》らないのか!?」

『一応《いちおう》、開会式《かいかいしき》に間《ま》に合《あ》うように駅《えき》から発車《はっしゃ》するみたい。誰《だれ》も乗《の》せずにね』

「誰《だれ》も乗《の》せずに？」

真純《ますみ》が聞《き》いている中《なか》、コナンがバッジの向《む》こうの灰原《はいばら》にたずねる。

『リニアは無人運行《むじんうんこう》だから。そんなことより、アラン会長《かいちょう》が消《き》えたわ』

「え!?」

コナンと真純《ますみ》は同時《どうじ》に声《こえ》を上《あ》げた。そして二人《ふたり》の頭《あたま》に、ジョンの言葉《ことば》が思《おも》い浮《う》かぶ。

「さっきジョンさんが言《い》ってた、車《くるま》の中《なか》にいたもう一人《ひとり》って……」

「アラン会長《かいちょう》のことかもね」

そのとき、コナンのスマホが震《ふる》えた。着信画面《ちゃくしんがめん》を見《み》て、

「ちょっと待《ま》ってて。電話《でんわ》してくる！」

とベンチから降《お》りてその場《ば》を離《はな》れる。着信《ちゃくしん》は昴《すばる》からだった。

『犯人《はんにん》の車《くるま》を見《み》つけたぞ、ボウヤ。空港《くうこう》の駐車場《ちゅうしゃじょう》だ。しかしわかったのは、運転手《うんてんしゅ》が恐《おそ》らく男《おとこ》ということだけ』

「犯人《はんにん》はやっぱり男《おとこ》……」

とつぶやくコナンの頭《あたま》の中《なか》で、今《いま》までに得《え》た様々《さまざま》な情報《じょうほう》が、光《ひかり》の粒子《りゅうし》のようになって渦《うず》巻《ま》いた。

──十五年前《じゅうごねんまえ》にシカゴで起《お》きた拉致事件《らちじけん》。

──当時《とうじ》のＦＢＩ長官《エフビーアイちょうかん》は、アラン・マッケンジー。

──犯人《はんにん》とされた石原《いしはら》が冤罪《えんざい》だった可能性《かのうせい》は──。

頭《あたま》の中《なか》で渦《うず》巻《ま》いた光《ひかり》の粒子《りゅうし》が一点《いってん》に集中《しゅうちゅう》したとき、鋭《するど》い閃光《せんこう》がコナンの頭《あたま》を貫《つらぬ》いた。

「……赤井《あかい》さん」

歩《ある》きながら電話《でんわ》をしていたコナンは、その足《あし》を止《と》めた。

「〝万一《まんいち》の時《とき》〟が来《き》てしまったみたいだ」

倉庫街《そうこがい》から戻《もど》り、空港《くうこう》の駐車場《ちゅうしゃじょう》に停《と》めたマスタングの中《なか》で、昴《すばる》はワイヤレスヘッドセットで電話《でんわ》をしながら、ルームミラーを覗《のぞ》いた。頬《ほお》に切《き》れ目《め》が入《はい》った変装《へんそう》マスクが映《うつ》る。

赤井《あかい》さん、とコナンに呼《よ》ばれた昴《すばる》は、変装《へんそう》マスクを脱《ぬ》ぎ捨《す》て、黒《くろ》いニット帽《ぼう》を被《かぶ》った。

『今《いま》すぐ新名古屋駅《しんなごやえき》に向《む》かって！』

コナンの声《こえ》を聞《き》くや否《いな》や、シフトレバーを一速《いっそく》に入《い》れる。

「ああ……」

シフトレバーに置《お》いた手《て》を首元《くびもと》にやり、変声機《へんせいき》をオフにすると、

「了解《りょうかい》した」

赤井秀一《あかいしゅういち》の声《こえ》で返事《へんじ》をして、車《くるま》を急発進《きゅうはっしん》させた。


スマホを切《き》ったコナンは、ベンチに座《すわ》る真純《ますみ》のところへ戻《もど》った。

「世良《せら》の姉《ねえ》ちゃん！　新名古屋駅《しんなごやえき》だ！」

「えっ？」

「早《はや》く！」と走《はし》り出《だ》すコナンを、真純《ますみ》が慌《あわ》てて追《お》う。

「どうした？　アランさんが新名古屋駅《しんなごやえき》にいるってこと？」

走《はし》りながら真純《ますみ》がたずねると、コナンは前《まえ》を向《む》いたまま答《こた》えた。

「犯人《はんにん》がクエンチを起《お》こしたせいで、管轄《かんかつ》の警察官《けいさつかん》が空港《くうこう》へ集中《しゅうちゅう》したって言《い》ってたでしよ！」

「そうか！　新名古屋駅《しんなごやえき》の警備《けいび》は手薄《てうす》になるってことか！」

「うん！」

階段《かいだん》をジャンプして降《お》りたコナンは、駐輪場《ちゅうりんじょう》に停《と》めた真純《ますみ》のバイクの前《まえ》で止《と》まった。

「十五年前《じゅうごねんまえ》、三人目《さんにんめ》の被害者《ひがいしゃ》は駅《えき》の中《なか》で撃《う》ち殺《ころ》された」

「まさか、だから今回《こんかい》も新名古屋駅《しんなごやえき》で拳銃《けんじゅう》を使《つか》って殺《ころ》すというのか⁉」

真純《ますみ》はヘルメットを被《かぶ》ってバイクにまたがり、エンジンをかけた。

「いや、きっと『ジャパニーズ・ブレット』を使《つか》ってだ！」

ヘルメットを被《かぶ》ったコナンがそう言《い》いながらバイクの後部座席《こうぶざせき》に飛《と》び乗《の》ると、真純《ますみ》はバイクをすぐに発進《はっしん》させた。


赤井《あかい》から連絡《れんらく》を受《う》けたジェイムズは、キャメルの車《くるま》で都内《とない》を走《はし》っていた。

「つまり、決戦《けっせん》はリニア」

助手席《じょしゅせき》のジョディが言《い》うと、後部座席《こうぶざせき》のジェイムズはスマホを見《み》ながら「うむ」とうなずいた。

「赤井君《あかいくん》は今《いま》、新名古屋駅《しんなごやえき》に向《む》かっている。我々《われわれ》も急《いそ》ごう」

「はい！」

威勢《いせい》よく返事《へんじ》をしたキャメルは交差点《こうさてん》を右折《うせつ》して、東京《とうきょう》タワーを背《せ》に車《くるま》を走《はし》らせた。

名古屋城《なごやじょう》に隣接《りんせつ》する金《きん》シャチ横丁《よこちょう》のオープンテラス。

カラフルなパラソルが立《た》てかけられたテーブル席《せき》に秀吉《しゅうきち》と由美《ゆみ》が向《む》かい合《あ》わせに座《すわ》っていた。テーブルの上《うえ》には空《から》になったビールジョッキがあふれ、椅子《いす》に仰《の》け反《ぞ》った由美《ゆみ》は酔《よ》っ払《ぱら》って上機嫌《じょうきげん》だった。

「由美《ゆみ》タン、飲《の》みすぎだよ」

ソフトドリンクを飲《の》んでいた秀吉《しゅうきち》は、身《み》を乗《の》り出《だ》して由美《ゆみ》の顔《かお》を見《み》た。

「もう少《すこ》しセーブしてくれないと、家族《かぞく》に会《あ》わせられない……」

すると突然《とつぜん》、由美《ゆみ》がガバッと勢《いきお》いよく体《からだ》を起《お》こした。

「家族《かぞく》なんて関係《かんけい》ないでしょ！　どーせ私《わたし》たち結婚《けっこん》するんだから！」

そう言《い》うと、目《め》の前《まえ》のジョッキを持《も》ち、ゴクゴクと飲《の》み干《ほ》す。

「プハーッ！　うまい!!」と笑《わら》った口《くち》の上《うえ》にはビールの白《しろ》い泡《あわ》がヒゲのようについていて、秀吉《しゅうきち》はそんな由美《ゆみ》の顔《かお》を驚《おどろ》いたようにまじまじと見《み》つめた。

「じゃあ、僕《ぼく》のプロポーズを受《う》けてくれるんだね！」

「もちのローン♪」

陽気《ようき》にジョッキを掲《かか》げる由美《ゆみ》を、秀吉《しゅうきち》が思《おも》い切《き》り抱《だ》きしめる。

「由美《ゆみ》タン！　幸《しあわ》せにするからね！」

大声《おおごえ》で宣言《せんげん》する秀吉《しゅうきち》に、周囲《しゅうい》の客《きゃく》から盛大《せいだい》な拍手《はくしゅ》が起《お》きて、泥酔《でいすい》した由美《ゆみ》はゲハハハハハ！　と大笑《おおわら》いした。

食事休憩《しょくじきゅうけい》をすませた一般参加者《いっぱんさんかしゃ》やスポンサーたちは、空港《くうこう》のアクセス広場《ひろば》に再《ふたた》び集《あつ》められた。舞子《まいこ》、エリー、井上《いのうえ》が今後《こんご》の予定《よてい》を説明《せつめい》する。

「では我々《われわれ》も東京《とうきょう》に帰《かえ》りましょう。僕《ぼく》についてきてください」

井上《いのうえ》が手《て》を上《あ》げ、名古屋国際空港駅《なごやこくさいくうこうえき》の改札《かいさつ》へ誘導《ゆうどう》する。ぞろぞろと皆《みな》が歩《ある》き出《だ》す中《なか》、蘭《らん》は携帯電話《けいたいでんわ》を耳《みみ》に当《あ》てながら、周囲《しゅうい》をキョロキョロと見回《みまわ》した。その様子《ようす》を見《み》たエリーが、小走《こばし》りで近《ちか》づいてくる。

「どうかされましたか？」

「連《つ》れの子《こ》が見当《みあ》たらなくて……」

携帯電話《けいたいでんわ》を閉《と》じてエリーに話《はな》していると、「蘭《らん》！」と小五郎《こごろう》が走《はし》ってやってきた。

「アラン会長《かいちょう》は見《み》つかったか？」

「多分《たぶん》まだ。でも予定《よてい》どおりリニアを走《はし》らせて、開会式《かいかいしき》もするんですって」

蘭《らん》が言《い》うと、エリーは「冷《つめ》たいようですが……」と前置《まえお》きして言葉《ことば》を続《つづ》けた。

「それがＷＳＧ《ダブルエスジー》協会《きょうかい》の決定《けってい》なんです。覆《くつがえ》ることはないかと。——ジョン社長《しゃちょう》の様子《ようす》はどうでした？」

「大丈夫《だいじょうぶ》なようです」小五郎《こごろう》が答《こた》えた。

「ついてなくていいの？」

蘭《らん》がたずねると、小五郎《こごろう》は「だぁから」と億劫《おっくう》げに言《い》う。

「ジョン社長《しゃちょう》にはSP《エスピー》がついてる。俺《おれ》が依頼《いらい》されたのは事件《じけん》の捜査《そうさ》。――行《い》くぞ！」

蘭《らん》は「待《ま》って！」と歩《ある》き出《だ》す小五郎《こごろう》を止《と》めた。

「コナン君《くん》がトイレから戻《もど》ってこないの」

「電話《でんわ》は？」

「何度《なんど》もしてるけど、繋《つな》がらなくて……」

すると、コナンからメールをもらった灰原《はいばら》が「ああ」とつぶやいた。小五郎《こごろう》と蘭《らん》が、え？　と振《ふ》り返《かえ》る。

「江戸川君《えどがわくん》ならさっき知《し》り合《あ》いと会《あ》ったから、その人《ひと》と帰《かえ》るっていってたわよ」

「はぁ～～～!?」

コナンのまさかの行動《こうどう》に、蘭《らん》と小五郎《こごろう》は素《す》っ頓狂《とんきょう》な声《こえ》を上《あ》げた。

7

中部地方最大《ちゅうぶちほうさいだい》のターミナル駅《えき》である名古屋駅《なごやえき》に隣接《りんせつ》した、リニア新名古屋駅《しんなごやえき》。

そのホームには真新《まあたら》しい『真空超電導《しんくうちょうでんどう》リニア』が停車《ていしゃ》していて、開通《かいつう》セレモニーが行《おこな》われていた。

レッドカーペットが敷《し》かれたホームでくす玉《だま》が割《わ》れ、さらに上空《じょうくう》ではパン、パン、パンと白煙花火《はくえんはなび》が上《あ》がる。

セレモニーを生中継《なまちゅうけい》していたリポーターは、ホームを移動《いどう》して、リニアの先頭車両《せんとうしゃりょう》の脇《わき》に立《た》った。

「当初《とうしょ》の予定《よてい》と変《か》わり、世界初《せかいはつ》の『真空超電導《しんくうちょうでんどう》リニア』に乗《の》るお客《きゃく》さんはいなくなりましたが、それでもこれだけの人《ひと》がリニアを見《み》ようと集《あつ》まっています！」

リニアが停車《ていしゃ》するホームには、鉄道《てつどう》ファンをはじめあふれんばかりの人《ひと》が押《お》し寄《よ》せていた。リニアが到着《とうちゃく》する芝浜駅直結《しばはまえきちょっけつ》の芝浜《しばはま》スタジアムにも大勢《おおぜい》の観客《かんきゃく》が集《あつ》まり、大型《おおがた》スクリーンに映《うつ》るリニアを見《み》て盛《も》り上《あ》がっている。

するとそのとき、発車《はっしゃ》のベルが鳴《な》った。

「さあ、いよいよです！　今《いま》、鉄道《てつどう》ファンだけでなく、日本中《にっぽんじゅう》いや世界中《せかいじゅう》の人々《ひとびと》が待《ま》ち望《のぞ》んできた歴史的瞬間《れきしてきしゅんかん》です！」

今《いま》まさに発車《はっしゃ》しようとするリニアに誰《だれ》もが注目《ちゅうもく》する中《なか》、群衆《ぐんしゅう》の背後《はいご》から突如《とつじょ》、サッカーボールが真上《まうえ》に飛《と》び出《だ》した。ヘルメットを被《かぶ》ったコナンが下《お》りてきたボールをキック力増強《りょくぞうきょう》シューズで蹴《け》る――！

ボールは超高速《ちょうこうそく》で隣《となり》のホームを突《つ》き抜《ぬ》け、屋根《やね》をかすめて空高《そらたか》く上《あ》がった。上《あ》がりきったところでパーンと鮮明《せんめい》な光《ひかり》を放《はな》って花火《はなび》のように破裂《はれつ》する。

ホームにいた人々《ひとびと》は、おお～っと一斉《いっせい》に空《そら》を見上《みあ》げた。リポーターやカメラマンたちも花火《はなび》の演出《えんしゅつ》かと振《ふ》り仰《あお》いでいる。

そのとき、群衆《ぐんしゅう》から二《ふた》つの大小《だいしょう》の人影《ひとかげ》が飛《と》び出《だ》した。車両《しゃりょう》のドアが閉《し》まる寸前《すんぜん》に、車両《しゃりょう》に飛《と》び乗《の》る。それは、ヘルメットを被《かぶ》ったコナンと真純《ますみ》だった。

「あっ、今《いま》、定刻《ていこく》どおりリニアが動《うご》き出《だ》しました！」

ゆっくりと発進《はっしん》したリニアはすぐにスピードを上《あ》げ、その姿《すがた》はあっという間《ま》に小《ちい》さくなって見《み》えなくなった。

一方《いっぽう》、リニア乗車体験《じょうしゃたいけん》の一般参加者《いっぱんさんかしゃ》やスポンサーたちは名古屋駅《なごやえき》から新幹線《しんかんせん》に乗《の》り、川《かわ》品駅《しなえき》へ向《む》かっていた。

灰原《はいばら》と並《なら》んで座《すわ》っていた小五郎《こごろう》がペットボトルのお茶《ちゃ》をゴクゴク飲《の》んでいると、座席背《ざせきはい》面《めん》のモニターに真空超電導《しんくうちょうでんどう》リニアのロゴが映《うつ》った。

「なんだ？」

ロゴが消《き》えると、今度《こんど》は色《いろ》の違《ちが》う八台《はちだい》のリニアが出《で》てきて画面《がめん》に並《なら》んだ。リニアの上《うえ》には〈真空超電導《しんくうちょうでんどう》リニアのスピードは外観《がいかん》の色変化《いろへんか》でわかるようになっているんだよ♪〉と書《か》かれている。

『みんなで〈真空超電導《しんくうちょうでんどう》リニア〉の仕組《しく》みを勉強《べんきょう》しましょう！』

エリーのナレーションと共《とも》に画面下《がめんした》からエリーを模《も》したキャラクターが現《あらわ》れた。

『まず、リニアは百《ひゃく》メートルほど車輪《しゃりん》で走行《そうこう》します。リニアの車体《しゃたい》には超電導磁石《ちょうでんどうじしゃく》、軌道《きどう》には浮上用《ふじょうよう》コイルがあります』

画面《がめん》が切《き》り替《か》わって、U《ユー》字型《じがた》の軌道《きどう》を走《はし》るリニアのCG《シージー》が映《うつ》った。スピードが増《ま》すにつれて、その車両《しゃりょう》に入《はい》ったラインが灰色《はいいろ》から紫色《むらさきいろ》に変化《へんか》する。さらに、車両《しゃりょう》の側面《そくめん》に搭載《とうさい》された超電導磁石《ちょうでんどうじしゃく》と、軌道《きどう》の側壁両側《そくへきりょうがわ》に設置《せっち》された浮上用《ふじょうよう》コイルがクローズアップされた。

『リニアの時速《じそく》が１５０キロを超《こ》えると、この磁石《じしゃく》とコイルの吸引力《きゅういんりょく》で車体《しゃたい》が浮《う》き上《あ》がります』

リニアが加速《かそく》するに従《したが》い車輪《しゃりん》が格納《かくのう》され、軌道《きどう》の側壁両側《そくへきりょうがわ》のコイルとの相互作用《そうごさよう》によって、車体《しゃたい》が10センチ浮《う》く。

『そのあとリニアは〈真空《しんくう》トンネル〉に入《はい》ります。トンネルは真空《しんくう》に近《ちか》い状態《じょうたい》に減圧《げんあつ》され、可能《かのう》な限《かぎ》り空気抵抗《くうきていこう》を減《へ》らしているため、時速《じそく》1000キロのスピードに達《たっ》します。これが〈真空《しんくう》リニア〉です』

リニアが突入《とつにゅう》した真空《しんくう》トンネルにはいくつかの隔壁《かくへき》があり、車体《しゃたい》が通過《つうか》すると隔壁《かくへき》が閉《と》じていく。

お茶《ちゃ》を飲《の》みながらモニターを見《み》ていた小五郎《こごろう》が、ときおり「へぇ～」と感嘆《かんたん》の声《こえ》を上《あ》げる。

『そして再《ふたた》びトンネルを抜《ぬ》け、〈超電導《ちょうでんどう》リニア〉として走行《そうこう》し、時速《じそく》300キロまで減速《げんそく》するとこのような〈空力《くうりき》ブレーキ〉が作動《さどう》します。さらに150キロまで減速《げんそく》すると、車体《しゃたい》に格納《かくのう》されていた車輪《しゃりん》が出《で》ます』

トンネルから出《で》たリニアはスピードを落《お》とし、さらに車体《しゃたい》の屋根部分《やねぶぶん》から空力《くうりき》ブレーキ板《ばん》が出《で》て空気抵抗《くうきていこう》により減速《げんそく》すると、再《ふたた》び車輪《しゃりん》が出《で》てくる。

モニターを熱心《ねっしん》に見《み》ていた少年《しょうねん》は、隣《となり》の父親《ちちおや》に話《はな》しかけた。

「リニアには運転手《うんてんしゅ》が乗《の》ってないのに、誰《だれ》が操作《そうさ》するの？」

「え？　それはだなぁ……」

父親《ちちおや》が回答《かいとう》に困《こま》っていると、最前席《さいぜんせき》に座《すわ》っていた井上《いのうえ》とエリーが立《た》ち上《あ》がった。

「いい質問《しつもん》ですね。実《じつ》は『真空超電導《しんくうちょうでんどう》リニア』の中《なか》には、手動《しゅどう》の運転室《うんてんしつ》が備《そな》え付《つ》けられてはいるのです」

そう答《こた》えると、井上《いのうえ》はタブレットを操作《そうさ》した。すると座席《ざせき》モニターにリニアの先頭車両《せんとうしゃりょう》の内面図《ないめんず》が表示《ひょうじ》された。先頭一両目《せんとういちりょうめ》の先頭《せんとう》に運転室《うんてんしつ》がある。

「だけどこの運転室《うんてんしつ》は試験走行用《しけんそうこうよう》なので、普段《ふだん》は使《つか》いません。代《か》わりに新名古屋駅《しんなごやえき》と芝浜《しばはま》駅《えき》の間《あいだ》にある制御室《せいぎょしつ》でリニアを操作《そうさ》してるんですよ」

エリーの説明《せつめい》に、井上《いのうえ》が続《つづ》く。

「ではここで、今走《いまはし》っている車内《しゃない》を見《み》てみましょう」

すると子供《こども》たちが「えー！」と驚《おどろ》いて座席《ざせき》から顔《かお》を出《だ》した。

「リニアの中《なか》が見《み》られるの⁉」「やったぁ！」

タブレットを操作《そうさ》する井上《いのうえ》の横《よこ》で、エリーがニッコリとほほ笑《え》む。

「新幹線《しんかんせん》と一緒《いっしょ》で、リニアの中《なか》も防犯《ぼうはん》カメラで撮影《さつえい》されています」

「残念《ざんねん》ながら今日《きょう》はお客《きゃく》さんがいないので、誰《だれ》も……」

そのとき、井上《いのうえ》の背後《はいご》で自動《じどう》ドアが開《ひら》き、デッキでコナンに電話《でんわ》をかけていた蘭《らん》が入《はい》ってきた。タブレットを見《み》ていた井上《いのうえ》が「えっ⁉」と驚《おどろ》く。

なんだろうと思《おも》った蘭《らん》がタブレットを覗《のぞ》くと――列車《れっしゃ》のデッキで何《なに》かを探《さが》す様子《ようす》のコナンと真純《ますみ》の姿《すがた》が映《うつ》っていた。

「コナン君《くん》⁉」

発車直前《はっしゃちょくぜん》にリニアに乗《の》り込《こ》んだコナンと真純《ますみ》は、先頭車両《せんとうしゃりょう》の16号車《ごうしゃ》から順《じゅん》にアランの姿《すがた》を探《さが》していった。

「もしアラン会長《かいちょう》が乗《の》ってなかったら、ボクたち怒《おこ》られるだけじゃすまないね」

と苦笑《にがわら》いする真純《ますみ》の前《まえ》を歩《ある》いていたコナンは、14号車《ごうしゃ》の中《なか》でクンクンとにおいを嗅《か》いだ。

「ねえ、何《なに》かにおわない？」

真新《まあたら》しい車両《しゃりょう》にしては、何《なに》か甘《あま》いにおいがする。

コナンに言《い》われて真純《ますみ》も目《め》をつぶってにおいを嗅《か》ぎながら足《あし》を進《すす》めると、ふいに足先《あしさき》に何《なに》かが当《あ》たって床《ゆか》を転《ころ》がっていった。

コナンが追《お》いかけて、ハンカチで拾《ひろ》い上《あ》げる。それはボールペンだった。

「アラン会長《かいちょう》の！」

「え！　そうなのか!?」

検査室《けんさしつ》でアランのジャケットから栄養《えいよう》ドリンクと一緒《いっしょ》に落《お》ちたボールペンだ。

コナンは「ねぇ」と真純《ますみ》を振《ふ》り返《かえ》った。

「空港《くうこう》で見《み》た犯人《はんにん》、カートにいくつトランクを載《の》せてた？」

「……二個《にこ》。それも同《おな》じトランクだ」

「同《おな》じトランクを二個《にこ》……」

コナンはボールペンを見《み》つめながら、歩道橋《ほどうきょう》で見《み》つかったジョンのそばに置《お》かれていたトランクを思《おも》い出《だ》した。

「確《たし》か、ジョンさんが入《い》れられたトランクは……ファスナー式《しき》だ！」

そう言《い》うと突然《とつぜん》、四《よ》つん這《ば》いになり、床面《ゆかめん》をなで回《まわ》しはじめた。

「コナン君《くん》？　何《なに》してんだ？」

きょとんとする真純《ますみ》を前《まえ》に、コナンは体《からだ》を起《お》こして指先《ゆびさき》のにおいを嗅《か》いだ。

（この甘酸《あまず》っぱいにおい……もしかして……）

コナンは腕時計型麻酔銃《うでどけいがたますいじゅう》のスイッチを三回押《さんかいお》して、ブラックライトを床《ゆか》に照射《しょうしゃ》した。すると、床《ゆか》に細《ほそ》い線《せん》が浮《う》かび上《あ》がる。

「見《み》えた！　栄養《えいよう》ドリンクでついたトランクの車輪《しゃりん》の跡《あと》！」

コナンは腕時計《うでどけい》で床《ゆか》を照《て》らしながら、通路《つうろ》を走《はし》った。デッキに出《で》て、13号車《ごうしゃ》に入《はい》る。

「よくわかったね、コナン君《くん》！」

「うん。アラン会長《かいちょう》が健康診断《けんこうしんだん》のときに持《も》ってたんだ」

コナンは、アランが栄養《えいよう》ドリンクと一緒《いっしょ》にボールペンをジャケットのポケットに入《い》れていたことを話《はな》した。

「栄養《えいよう》ドリンクに入《はい》っているビタミンB_2は蛍光物質《けいこうぶっしつ》、ブラックライトに反応《はんのう》する。でも、ブラックライトもついてるなんて、本当《ほんとう》に便利《べんり》な腕時計《うでどけい》だな」

「頼《たよ》れる博士《はかせ》の探偵道具《たんていどうぐ》だからね」

コナンは真純《ますみ》に背《せ》を向《む》けながら答《こた》え、車輪《しゃりん》の跡《あと》を追《お》った。

同《おな》じ頃《ころ》。ビートルを運転《うんてん》していた阿笠博士《あがさはかせ》は、ぶえっくしょん！　と大《おお》きなくしゃみをした。ハンドルを握《にぎ》っていた右手《みぎて》で、鼻《はな》をこする。

「さては子供《こども》たち、ワシの噂《うわさ》をしとるな？　学会《がっかい》の発表会《はっぴょうかい》でかなり遅《おく》れてしまったからのお」

と、腕時計《うでどけい》を見《み》る。

「仮面《かめん》ヤイバーショーを楽《たの》しんでるといいが……」

芝浜《しばはま》スタジアムの駐車場《ちゅうしゃじょう》に入《はい》るとかなり混雑《こんざつ》していて、空《あ》いているところを見《み》つけた阿《あ》笠博士《がさはかせ》は、ビートルをバックさせて駐車《ちゅうしゃ》した。

芝浜《しばはま》スタジアムそばにある野外《やがい》ステージでは、仮面《かめん》ヤイバーショーがクライマックスを迎《むか》えていた。大勢《おおぜい》の子供《こども》たちが見守《みまも》る中《なか》、仮面《かめん》ヤイバーは多数《たすう》の怪人《かいじん》たちに攻撃《こうげき》されてピンチに陥《おちい》っていた。

「弱《よわ》い、弱《よわ》すぎるぞ、ヤイバー！」

「うはははは！　子供《こども》たちはいただいてくぞ！」

ステージのジョッカーたちが客席《きゃくせき》に下《お》りようとすると、怪人《かいじん》らに囲《かこ》まれた仮面《かめん》ヤイバーが「や、やめるんだジョッカー！」と手《て》を伸《の》ばす。

客席《きゃくせき》で食《く》い入《い》るようにステージを観《み》ていた元太《げんた》は「おい、ヤイバーやばくね？」とつぶやいた。

「敵《てき》が多《おお》すぎます！」隣《となり》の光彦《みつひこ》も、はらはらと手《て》に汗《あせ》を握《にぎ》る。

「ヤイバー頑張《がんば》れー!!」

他《ほか》の子供《こども》たちと一緒《いっしょ》に熱《あつ》い声援《せいえん》を送《おく》る歩美《あゆみ》の横《よこ》で、園子《そのこ》は、はぁ……とため息《いき》をついた。

「早《はや》く博士《はかせ》来《こ》ないかなぁ……」

そのとき、「そこまでだ！　怪人《かいじん》ども！」とどこからともなく声《こえ》が響《ひび》いてきた。

「誰《だれ》の声《こえ》だ！」「どこにいる!?」

ステージ上《じょう》のジョッカーがキョロキョロと辺《あた》りを見回《みまわ》す。すると、ジョッカーの一人《ひとり》が「あ、空《そら》を見《み》ろ!!」と空《そら》を指差《ゆびさ》した。

観客《かんきゃく》が一斉《いっせい》に空《そら》を見上《みあ》げると――ハーハッハッハ！　と大《おお》きな笑《わら》い声《ごえ》を響《ひび》かせながら、パラシュートが降下《こうか》してきた。

「誰《だれ》あれ？」「味方《みかた》なの？」「ヤイバーみたい！」

パラシュートはぐるりと旋回《せんかい》して、ステージの裏《うら》に回《まわ》り込《こ》んで見《み》えなくなった。怪人《かいじん》やジョッカーがステージの奥《おく》を警戒《けいかい》するように見《み》つめる。するとステージの奥《おく》から白煙《はくえん》が噴《ふ》き出《だ》し、「とおっ！」と新《あら》たな仮面《かめん》ヤイバーが飛《と》び出《だ》してきた。怪人《かいじん》たちに囲《かこ》まれている仮面《かめん》ヤイバーとはアーマーやボディスーツが若干違《じゃっかんちが》う。

「俺《おれ》はヤイバー2号《ごう》！　ついに参上《さんじょう》!!」

新《あたら》しいポーズを決《き》めたヤイバー2号《ごう》に、観客《かんきゃく》の子供《こども》たちから「おおおおー!!」と歓声《かんせい》が沸《わ》く。その様子《ようす》につられて、園子《そのこ》も思《おも》わず両手《りょうて》を頭上《ずじょう》に高《たか》く振《ふ》り上《あ》げた。


東京《とうきょう》に向《む》かう新幹線《しんかんせん》の中《なか》。

井上《いのうえ》たちに呼《よ》ばれてやってきた車掌《しゃしょう》は、小五郎《こごろう》の座席《ざせき》のモニターで、リニアの防犯《ぼうはん》カメラの映像《えいぞう》を確認《かくにん》した。

「じゃあ、今《いま》リニアに乗《の》っている二人《ふたり》っていうのは……」

体《からだ》を起《お》こした車掌《しゃしょう》に、そばに立《た》っていた小五郎《こごろう》が頭《あたま》を下《さ》げた。

「すいません、ウチの連《つ》れです。すいません、本当《ほんとう》にすいません！」

車掌《しゃしょう》に平謝《ひらあやま》りする小五郎《こごろう》に、蘭《らん》が「でも」と割《わ》って入《はい》る。

「コナン君《くん》と世良《せら》ちゃんのことだから、きっと何《なに》か考《かんが》えが……」

「馬鹿《ばか》！　やっていいことと悪《わる》いことがあるだろ！」

一喝《いっかつ》した小五郎《こごろう》は、車掌《しゃしょう》の方《ほう》を向《む》いた。

「途中《とちゅう》の駅《えき》で止《と》めて引《ひ》きずり降《お》ろしてください。私《わたし》が迎《むか》えに行《い》きます！」

「いえ、あの……」とまどう車掌《しゃしょう》の後《うし》ろで、タブレットを見《み》ていた井上《いのうえ》が口《くち》を開《ひら》いた。

「今日《きょう》は体験乗車《たいけんじょうしゃ》の予定《よてい》だったので、途中《とちゅう》の駅《えき》では止《と》まらないプログラミングになっています」

「でも、制御室《せいぎょしつ》から操作《そうさ》できますよね？」

エリーがたずねると、井上《いのうえ》は「うーん」とその長《なが》めの髪《かみ》をかき上《あ》げた。

「そうすると、開会式《かいかいしき》に間《ま》に合《あ》うようにリニアから万国旗《ばんこくき》を揚《あ》げる——例《れい》のイベントも中止《ちゅうし》になる。これって、アラン会長《かいちょう》の発案《はつあん》だろ？」

「そうだったわね」エリーは説明会《せつめいかい》で自分《じぶん》がネタバレしてしまったサプライズ演出《えんしゅつ》を思《おも》い出《だ》した。「リニアの都合《つごう》で勝手《かって》に中止《ちゅうし》していいものか……」

「だけど、制御室《せいぎょしつ》には連絡《れんらく》しないと」

車掌《しゃしょう》の声《こえ》に、井上《いのうえ》は「私《わたし》が対応《たいおう》してきます」とスマホを取《と》り出《だ》してデッキへ向《む》かった。

「ったく！ あの二人《ふたり》、戻《もど》ってきたら説教《せっきょう》だな！」

フン！ と鼻《はな》を鳴《な》らして、小五郎《こごろう》は自分《じぶん》の座席《ざせき》に戻《もど》った。窓際《まどぎわ》に座《すわ》っていた灰原《はいばら》は、座《ざ》席《せき》モニターに映《うつ》るコナンたちを見《み》ている。

(世良《せら》ちゃん……コナン君《くん》……)

小五郎《こごろう》の前《まえ》に立《た》ちつくす蘭《らん》は、二人《ふたり》のことを考《かんが》えていた。

モニターに映《うつ》った二人《ふたり》は、低《ひく》い姿勢《しせい》になって車内《しゃない》を進《すす》んでいた。まるで何《なに》かを探《さが》すように——。

真空《しんくう》トンネルに入《はい》ったリニアは、時速《じそく》５００キロのスピードで走《はし》っていた。

トランクの車輪《しゃりん》の跡《あと》を追《お》って11号車《ごうしゃ》にやってきたコナンと真純《ますみ》は、ふと立《た》ち止《ど》まり、東《とう》京方面《きょうほうめん》を振《ふ》り返《かえ》った。

「芝浜駅《しばはまえき》までこのまま何《なに》も起《お》きないなんてことは……」

するとそのとき、スマホの着信音《ちゃくしんおん》が鳴《な》った。真純《ますみ》のではなく、コナンのスマホだ。スマホをポケットから取《と》り出《だ》そうとしたコナンは、うっかり落《お》としてしまい、スマホは座席《ざせき》の下《した》へ滑《すべ》っていった。

「また電話《でんわ》？」

慌《あわ》てて屈《かが》んで座席下《ざせきした》に手《て》を入《い》れるコナンに、真純《ますみ》が嫌味《いやみ》っぽく言《い》う。

リニア新名古屋駅《しんなごやえき》から一直線《いっちょくせん》に伸《の》びた軌道《きどう》の上《うえ》を、ライフルを持《も》った赤井《あかい》が歩《ある》いていた。

耳《みみ》にかけたワイヤレスヘッドセットで、呼《よ》び出《だ》し音《おん》が鳴《な》っている。

足《あし》を止《と》めると同時《どうじ》に、コナンが電話《でんわ》に出《で》た。

『もしもし。あと少《すこ》しだけ待《ま》てる!?』

「いや」赤井《あかい》はライフルを構《かま》え、スコープを覗《のぞ》いた。「タイムリミットだ」

ライフルのトリガーに人差《ひとさ》し指《ゆび》をかけ、ゆっくりと力《ちから》を入《い》れる。左目《ひだりめ》で覗《のぞ》いたスコープからは、どこまでも真《ま》っすぐに伸《の》びたリニアの軌道《きどう》と、その上《うえ》を横切《よこぎ》る鳥《とり》たちが見《み》えた。その映像《えいぞう》はわずかに揺《ゆ》れている。

『……わかった』

コナンの声《こえ》を聞《き》いた赤井《あかい》は、ライフルのスコープを覗《のぞ》きながら、フゥー……と息《いき》を半分《はんぶん》吐《は》いて止《と》めた。

軌道《きどう》を横切《よこぎ》る鳥《とり》の姿《すがた》はもうなかった。スコープから見《み》える映像《えいぞう》がピタリと止《と》まり、その十字線《じゅうじせん》の中心《ちゅうしん》に目標物《もくひょうぶつ》を捉《とら》える。

閉《と》じていた右目《みぎめ》を開《あ》けた赤井《あかい》は、フッとほほ笑《え》んだ。

「GO《ゴー》！」

すばやく引《ひ》き金《がね》を引《ひ》いた。

ドオオオン。

放《はな》たれた弾丸《だんがん》が、リニアの軌道《きどう》を超音速《ちょうおんそく》で突《つ》き抜《ぬ》ける——！

銃口《じゅうこう》から煙《けむり》をはくライフルを下《お》ろした赤井《あかい》は、目《め》を細《ほそ》め、リニアの軌道《きどう》の先《さき》を見《み》つめた。

真純《ますみ》はコナンのスマホからした銃声《じゅうせい》を聞《き》き逃《のが》さなかった。

「アラン会長《かいちょう》を早《はや》く見《み》つけないと！」

コナンがスマホを耳《みみ》に当《あ》てたまま通路《つうろ》を走《はし》り出《だ》した。

「コナン君《くん》！」真純《ますみ》が呼《よ》び止《と》める。「今《いま》のは銃声《じゅうせい》だよね？　しかもボルトアクションのライフル！　君《きみ》はさっきから誰《だれ》と、いったい何《なに》をしているんだ！」

「……大丈夫《だいじょうぶ》」振《ふ》り返《かえ》ったコナンは、持《も》っていたスマホを見《み》せた。

「この向《む》こうにいるのは、ボクたちの味方《みかた》だから」

そのとき、スマホから赤井《あかい》の声《こえ》が聞《き》こえてきた。

『後《あと》は好《す》きにしろ、ボウヤ』

「待《ま》って。もう一《ひと》つ、頼《たの》みたいことがあるんだ」


ライフルをケースに収《おさ》めた赤井《あかい》は、コナンと電話《でんわ》をしながら軌道《きどう》を歩《ある》いていた。側壁《そくへき》をひらりと飛《と》び越《こ》え、軌道《きどう》の外側《そとがわ》に立《た》つ。

「……わかった。参加者全員《さんかしゃぜんいん》の番号《ばんごう》を送《おく》ってくれ」

電話《でんわ》を切《き》ると、新名古屋駅《しんなごやえき》の方《ほう》へ戻《もど》り出《だ》した。


真空《しんくう》トンネルの中《なか》――。

赤井《あかい》が放《はな》った弾丸《だんがん》が、閉《と》じようとする隔壁《かくへき》をすり抜《ぬ》け、超音速《ちょうおんそく》で突《つ》き進《すす》む。

隔壁《かくへき》が完全《かんぜん》に閉《と》じると、上部《じょうぶ》のダクトが開《ひら》き、トンネル内《ない》の空気《くうき》を排出《はいしゅつ》しはじめた。

新幹線《しんかんせん》の座席《ざせき》モニターにはリニアの防犯《ぼうはん》カメラ映像《えいぞう》がずっと映《うつ》し出《だ》されていて、灰原《はいばら》は窓際《まどぎわ》の座席《ざせき》でやきもきしながら見《み》ていた。

「何《なに》やってんのよ、もぉ……！」

すると、ポケットの中《なか》のスマホが震《ふる》えた。コナンからのメールだった。メールを読《よ》んだ灰原《はいばら》は、並《なら》びの席《せき》で憤《いきどお》っている小五郎《こごろう》をチラリと見《み》て、窓《まど》に置《お》いたペットボトルのお茶《ちゃ》に手《て》を伸《の》ばす。

「あっ！」

灰原《はいばら》は声《こえ》を上《あ》げて、わざとお茶《ちゃ》のペットボトルを床《ゆか》に落《お》とした。うおっと小五郎《こごろう》が立《た》ち上《あ》がる。

「何《なに》やってんだ！」

はねるペットボトルにたたらを踏《ふ》んだ小五郎《こごろう》の懐《ふところ》から参加者名簿《さんかしゃめいぼ》が落《お》ちて、灰原《はいばら》はすばやくキャッチした。

「借《か》りるわよ」名簿《めいぼ》を両手《りょうて》で隠《かく》しつつ、座席《ざせき》から飛《と》び出《だ》す。

「ちょっと哀《あい》ちゃん！　どうしたの!?」

通路《つうろ》に立《た》っていた蘭《らん》の声《こえ》を無視《むし》して、灰原《はいばら》はデッキに出《で》た。壁《かべ》にもたれて顔《かお》を隠《かく》すように名簿《めいぼ》を広《ひろ》げると、その中《なか》でコナンのメールを再《ふた》び読《よ》む。

「……人使《ひとづか》いが荒《あら》いわね」

やれやれと苦笑《にがわら》いしつつ、スマホの後《うし》ろで広《ひろ》げた参加者名簿《さんかしゃめいぼ》に目《め》を移《うつ》した。

車輪《しゃりん》の跡《あと》を追《お》ったコナンと真純《ますみ》は、10号車《ごうしゃ》と9号車《ごうしゃ》の間《あいだ》のデッキに出《で》た。

「ここで終《お》わってる」

「ホントだ」

デッキの右側《みぎがわ》にある車掌室《しゃしょうしつ》の前《まえ》には、何度《なんど》か切《き》り返《かえ》したような車輪《しゃりん》の跡《あと》があって、扉《とびら》の奥《おく》へと続《つづ》いているようだった。

真純《ますみ》は車掌室《しゃしょうしつ》の扉《とびら》の取《と》っ手《て》に手《て》をかけた。

「扉《とびら》、開《あ》けるよ」

「うん」

扉《とびら》の正面《しょうめん》に立《た》ったコナンが、腕時計型麻酔銃《うでどけいがたますいじゅう》を構《かま》える。真純《ますみ》は勢《いきお》いよく扉《とびら》を開《あ》けた。

狭《せま》い部屋《へや》の中《なか》にあったのは——大《おお》きなトランク。真純《ますみ》が空港《くうこう》で見《み》た電動《でんどう》カートに積《つ》まれていたものだ。ガタガタと動《うご》き、うめき声《ごえ》のような音《おと》が聞《き》こえる。

「もしかして、この中《なか》に⁉」

真純《ますみ》はトランクに手《て》をかけ、引《ひ》っ張《ぱ》り出《だ》そうとした。しかし、狭《せま》い車掌室内《しゃしょうしつない》の制御装置《せいぎょそうち》と壁《かべ》に挟《はさ》まれて、なかなか動《うご》かせない。

「ちょっと待《ま》って！」

コナンはポケットからアランのボールペンを取《と》り出《だ》し、トランクのファスナーにペン先《さき》をブスリと差《さ》し込《こ》んだ。そのまま下《した》に動《うご》かしてファスナーを開《あ》けていく。すると中《なか》から後《うし》ろ手《で》に縛《しば》られたアランが転《ころ》げ出《で》てきた。口《くち》にはガムテープが貼《は》られ、苦《くる》しそうにうめき声《ごえ》を上《あ》げる。真純《ますみ》はアランの体《からだ》を起《お》こした。

「アラン会長《かいちょう》だよね？」

「やっぱり意識《いしき》があったんだ」

コナンが口《くち》のガムテープを剥《は》がすと、アランは二人《ふたり》を見《み》て、辺《あた》りを見回《みまわ》した。

「ここは……？」

「リニアの中《なか》です。芝浜《しばはま》に向《む》かっています」真純《ますみ》が英語《えいご》で答《こた》える。

「よく私《わたし》の居場所《いばしょ》がわかったな」

真純《ますみ》はアランのそばに落《お》ちた栄養《えいよう》ドリンクの小瓶《こびん》を拾《ひろ》って見《み》せた。

「アンタがわざとこぼしたこれのおかげだよ」

アランは「Oh《オウ》！」と声《こえ》を上《あ》げた。

「さすが、元《もと》FBI《エフビーアイ》長官《ちょうかん》だね」ボールペンを掲《かか》げたコナンが言《い》う。

アランは自分《じぶん》の居場所《いばしょ》を知《し》らせるために、ボールペンをトランクのファスナーに刺《さ》して外《そと》に出《だ》し、栄養《えいよう》ドリンクをわざとこぼしたのだ。

8

「あ〜！　アラン会長《かいちょう》だ！」

新幹線《しんかんせん》の中《なか》で座席《ざせき》モニターを見《み》ていた子供《こども》がいきなり声《こえ》を上《あ》げて、車内《しゃない》の人々《ひとびと》は一斉《いっせい》にモニターを注視《ちゅうし》した。

「ホントだ！」「なんであんなとこに!?」「まさかあの二人《ふたり》は会長《かいちょう》を探《さが》してたのか!?」

目《め》を閉《と》じていた小五郎《こごろう》も「なんだと！」と飛《と》び起《お》きて前《まえ》のシートをつかむ。

すると、タブレットを持《も》った井上《いのうえ》が「毛利《もうり》さん！」と通路《つうろ》に立《た》っている蘭《らん》の横《よこ》を通《とお》ってやって来《き》た。「これはいったい？」

「何《なに》かご存《ぞん》じですか？」エリーもたずねる。

そのとき、二人《ふたり》の背後《はいご》からコナンの声《こえ》がした。

『みんな聞《き》いて！』

驚《おどろ》いて振《ふ》り返《かえ》ると、探偵《たんてい》バッジを掲《かか》げた灰原《はいばら》が立《た》っていた。探偵《たんてい》バッジから、コナンの声《こえ》が聞《き》こえてくる。

『アラン会長《かいちょう》はクエンチが起《お》きたとき、ジョンさんと一緒《いっしょ》に拉致《らち》されたんです』

座席《ざせき》モニターには、コナンが真純《ますみ》に探偵《たんてい》バッジを向《む》ける姿《すがた》が映《うつ》っている。

『それで、一緒《いっしょ》に犯人《はんにん》の車《くるま》に乗《の》せられてたんだ』

「じゃあアランさんは犯人《はんにん》の顔《かお》を見《み》たのか？」座席《ざせき》モニターにかぶりつく小五郎《こごろう》の声《こえ》を、灰原《はいばら》の探偵《たんてい》バッジが拾《ひろ》う。

『残念《ざんねん》ながら見《み》てなかった』答《こた》えた真純《ますみ》は、扉《とびら》の上《うえ》に取《と》り付《つ》けられた防犯《ぼうはん》カメラの方《ほう》を向《む》いた。『でもボクらはもう、犯人《はんにん》がわかってるけどね！』

「なっ！」小五郎《こごろう》をはじめ、井上《いのうえ》やエリー、車内《しゃない》にいた人々《ひとびと》は真純《ますみ》の発言《はつげん》に驚《おどろ》く。

蘭《らん》は井上《いのうえ》のタブレットをつかみ、画面《がめん》に映《うつ》るコナンに向《む》かって声《こえ》を上《あ》げた。

「ボクらって、コナン君《くん》も⁉」

『あ、違《ちが》う！』コナンは慌《あわ》ててスマホを耳《みみ》に当《あ》て、新一《しんいち》と電話《でんわ》をしているふりをした。

『わかってるのは新一兄《しんいちにい》ちゃんだよ！』

カメラに向《む》かって苦笑《にがわら》いするコナンに、小五郎《こごろう》が苛立《いらだ》ちを見《み》せる。

「で、犯人《はんにん》はいったい誰《だれ》なんだ⁉」

『その前《まえ》にコナン君《くん》が最後《さいご》の確認《かくにん》をしたいってさ』

真純《ますみ》はそう言《い》って、意味《いみ》ありげな眼差《まなざ》しをコナンに向《む》ける。

『だから新一兄《しんいちにい》ちゃんがね！』

コナンは探偵《たんてい》バッジに向《む》かって言《い》うと、いったんスマホを耳《みみ》から離《はな》してどこかに電話《でんわ》をかけた。

高速道路《こうそくどうろ》を走《はし》るキャメルの車《くるま》の中《なか》。

助手席《じょしゅせき》でノートパソコンを開《ひら》くジョディがコナンからの着信《ちゃくしん》に出《で》る。

『じゃあ、お願《ねが》い』

「OK《オーケー》！」

ひざの上《うえ》に置《お》いたノートパソコンの画面《がめん》には、参加者名簿《さんかしゃめいぼ》が表示《ひょうじ》されていた。ジョディがタッチパッドを二回《にかい》タップする。

すると、参加者《さんかしゃ》の携帯番号《けいたいばんごう》の右側《みぎがわ》についたマークが、発信状態《はっしんじょうたい》のマークに切《き》り替《か》わった。

突然《とつぜん》、新幹線《しんかんせん》の車内《しゃない》でスマホや携帯電話《けいたいでんわ》の着信音《ちゃくしんおん》が一斉《いっせい》に鳴《な》り出《だ》した。様々《さまざま》なメロディやバイブ音《おん》が車内《しゃない》に鳴《な》り響《ひび》く。

「非通知《ひつうち》？」「私《わたし》にもかかってきてるぞ」

不審《ふしん》に思《おも》いながらも、参加者《さんかしゃ》たちが次々《つぎつぎ》と電話《でんわ》に出《で》る。

「もしもし」「どなたですか？」「なんだこれ？」「応答《おうとう》ないよ」

小五郎《こごろう》のスマホや蘭《らん》の携帯《けいたい》、灰原《はいばら》、井上《いのうえ》、エリーのスマホも鳴《な》っている。

蘭《らん》は鳴《な》り続《つづ》ける携帯《けいたい》を片手《かたて》に、車内《しゃない》を見渡《みわた》した。

「……もしかして、全員《ぜんいん》の携帯《けいたい》が鳴《な》ってる？」

リニアの中《なか》でも、スマホの着信音《ちゃくしんおん》やバイブ音《おん》が鳴《な》り響《ひび》いていた。

「ボクとコナン君《くん》のも鳴《な》ってるよ」

「アラン会長《かいちょう》のもね」

真純《ますみ》の隣《となり》で着信音《ちゃくしんおん》を止《と》めたアランは、メール画面《がめん》を開《ひら》いていた。コナンが見《み》つめる中《なか》、メールを読《よ》むアランの顔《かお》に驚《おどろ》きの表情《ひょうじょう》が浮《う》かぶ。

「でも、一人《ひとり》だけ鳴《な》ってない人《ひと》がいるんだよね？」

真純《ますみ》に訊《き》かれて、コナンは「うん」とうなずいた。その背後《はいご》――9号車《ごうしゃ》から足音《あしおと》が忍《しの》び寄《よ》る。コナンは後《うし》ろを振《ふ》り返《かえ》った。

「そうだよね？　白鳩舞子《しらはとまいこ》さん」

名前《なまえ》を呼《よ》ばれて、舞子《まいこ》は通路《つうろ》で立《た》ち止《ど》まった。うつむいた顔《かお》を上《あ》げ、引《ひ》きつった笑《え》みを浮《う》かべる。

その手《て》には、無音《むおん》のスマホが握《にぎ》られている――。

コナンと真純《ますみ》は、それぞれのスマホから鳴《な》り響《ひび》く着信音《ちゃくしんおん》を止《と》めた。

「携帯《けいたい》、鳴《な》ってないみたいだね」

立《た》ち上《あ》がった真純《ますみ》が、舞子《まいこ》に声《こえ》をかける。

「バッテリーが切《き》れてるのよ」

デッキに出《で》てきた舞子《まいこ》はそう言《い》うと、自分《じぶん》のスマホを放《ほお》った。コナンが受《う》け止《と》め、画面《がめん》にタッチする。すると、表示《ひょうじ》は出《で》るものの、すぐに明滅《めいめつ》してノイズが走《はし》る。

「いや、バッテリーは切《き》れていないだろ？　きっとMRI《エムアールアイ》を稼働《かどう》させたせいで電子機器《でんしきき》に異常《いじょう》が出《で》たんだ」

コナンの声《こえ》に、舞子《まいこ》がクッと顎《あご》を引《ひ》く。コナンは頭《あたま》の中《なか》で灰原《はいばら》の言葉《ことば》を反芻《はんすう》した。

――MRI《エムアールアイ》の磁気《じき》で、このバッジやメガネなんかの電子機器《でんしきき》に異常《いじょう》が出《で》るかも。

コナンは赤井《あかい》を通《つう》じて、ジョディに参加者名簿《さんかしゃめいぼ》に載《の》っている全員《ぜんいん》に一斉《いっせい》に電話《でんわ》をかけてもらった。MRI《エムアールアイ》を稼働《かどう》させた犯人《はんにん》の携帯電話《けいたいでんわ》は恐《おそ》らく、MRI《エムアールアイ》の磁気《じき》の影響《えいきょう》で故障《こしょう》していると思《おも》ったからだ。

「つまり、クエンチを起《お》こしたのは――白鳩《しらはと》さん、あなただ」

コナンが真相《しんそう》を突《つ》きつけると、舞子《まいこ》は意外《いがい》にもニヤリと口《くち》の端《はし》を持《も》ち上《あ》げた。

「携帯《けいたい》が壊《こわ》れていた……そんな偶然《ぐうぜん》で犯人扱《はんにんあつか》いする気《き》？」

「だったら、このリニアに乗《の》ってたのも偶然《ぐうぜん》だって言《い》うつもりかい？」

問《と》い詰《つ》める真純《ますみ》のそばで、コナンは二《ふた》つのスマホをポケットにしまい、探偵《たんてい》バッジを胸《むね》につけた。

「何《なに》より、白鳩舞子《しらはとまいこ》。あなたの名《な》が十五年前《じゅうごねんまえ》の銃撃事件《じゅうげきじけん》の犯人《はんにん》……『石原誠《いしはらまこと》』のアナグラムになっているのは、偶然《ぐうぜん》じゃないよね？」

「――!!」

『シラハトマイコ』の文字《もじ》を入《い》れ替《か》えると『イシハラマコト』になる――その秘密《ひみつ》を暴《あば》かれた舞子《まいこ》は、目《め》を見開《みひら》いたままガクリとうなだれた。

「あなたは、無実《むじつ》を叫《さけ》んで死《し》んだ父親《ちちおや》の名《な》を捨《す》てられなかった……そうでしょ？」

コナンが問《と》いかけた瞬間《しゅんかん》――舞子《まいこ》がうつむいたまま飛《と》び出《だ》した。そして顔《かお》を上《あ》げ、隠《かく》し持《も》っていた拳銃《けんじゅう》を構《かま》える。

「アランッ！」

真純《ますみ》はすばやくアランの前《まえ》に立《た》った。拳銃《けんじゅう》を向《む》けられたアランは、舞子《まいこ》が持《も》つその拳銃《けんじゅう》に見覚《みおぼ》えがあった。

「その銃《じゅう》は……」

「あら嬉《うれ》しい」拳銃《けんじゅう》を向《む》けた舞子《まいこ》は微笑《ほほえ》んだ。「覚《おぼ》えてくれていたのね。そうよ、十五年《じゅうごねん》前《まえ》の拳銃《けんじゅう》と同《おな》じモデルよ」

「その犯人《はんにん》……つまり、あなたの父親《ちちおや》は十五年前《じゅうごねんまえ》、無実《むじつ》を訴《うった》えていた」

コナンの言葉《ことば》に、舞子《まいこ》は声《こえ》を荒《あら》らげた。

「そんな父《ちち》を、ＦＢＩ《エフビーアイ》は逮捕《たいほ》したのよ！」

さらににじり寄《よ》り、拳銃《けんじゅう》を持《も》つ手《て》に力《ちから》を込《こ》めた舞子《まいこ》は、アランに英語《えいご》で話《はな》しかけた。

「十五年前《じゅうごねんまえ》の事件《じけん》の、一人目《ひとりめ》の被害者《ひがいしゃ》を覚《おぼ》えてる？」

舞子《まいこ》の声《こえ》を聞《き》いたアランの顔《かお》に、ハッとした表情《ひょうじょう》が浮《う》かんだ。

「確《たし》か、日系《にっけい》の菓子《かし》メーカーのトップ……」

アランの前《まえ》に立《た》つ真純《ますみ》が答《こた》えると、舞子《まいこ》は叫《さけ》んだ。

「その日系企業《にっけいきぎょう》のトップが誘拐《ゆうかい》されたとき、父《ちち》は私《わたし》と一緒《いっしょ》にいたの！」

新幹線《しんかんせん》の車内《しゃない》にいる参加者《さんかしゃ》たちは、座席《ざせき》モニターに映《うつ》る防犯《ぼうはん》カメラの映像《えいぞう》と灰原《はいばら》の探偵《たんてい》バッジから聞《き》こえてくる音声《おんせい》で、白鳩舞子《しらはとまいこ》がリニアに乗《の》り込《こ》み、さらにクエンチを起《お》こした犯人《はんにん》だと知《し》った。

誰《だれ》もが驚《おどろ》き、座席《ざせき》モニターを食《く》い入《い》るように見《み》つめている。

「アリバイがあったってことか……」

十五年前《じゅうごねんまえ》の事件《じけん》を知《し》る小五郎《こごろう》は、驚《おどろ》いた顔《かお》で座席《ざせき》モニターを見《み》つめた。

「当時《とうじ》、私《わたし》はＦＢＩ《エフビーアイ》にそう証言《しょうげん》したわ！」

舞子《まいこ》は拳銃《けんじゅう》を構《かま》え直《なお》した。「なのに父《ちち》は逮捕《たいほ》され、事実《じじつ》を叫《さけ》んだまま獄中《ごくちゅう》で……。母《はは》は日本《にっぽん》へ来《き》てすぐに……心労《しんろう》が祟《たた》ったのね。死《し》ぬときはあっけなかった」

コナンは舞子《まいこ》の声《こえ》を聞《き》きながら、後《うし》ろ手《で》で腕時計型麻酔銃《うでどけいがたますいじゅう》のツマミを押《お》してカバーを開《ひら》いた。

「それでずっとFBI《エフビーアイ》を恨《うら》んでたのか」

真純《ますみ》が言《い》うと、拳銃《けんじゅう》を構《かま》えた舞子《まいこ》はチラリと真純《ますみ》を見《み》た。

「だから、USMS《ユーエスエムエス》に言《い》われて名前《なまえ》を変《か》えたのよ」

そのとき、車体《しゃたい》が少《すこ》し揺《ゆ》れた。わずかにカーブしているトンネルを曲《ま》がるために減速《げんそく》しているのだ。コナンは右手《みぎて》の車掌室《しゃしょうしつ》を一瞥《いちべつ》、制御装置《せいぎょそうち》のレバーが動《うご》くのを確認《かくにん》しながら、舞子《まいこ》に目《め》を向《む》けた。

「司法取引《しほうとりひき》の証人保護《しょうにんほご》プログラムだね」

「君《きみ》、子供《こども》なのに詳《くわ》しいのね」舞子《まいこ》はコナンを見《み》て笑《え》みを浮《う》かべた。「ええ。USMS《ユーエスエムエス》は日本《にっぽん》のカナ文字《もじ》に疎《うと》かった。だから私《わたし》が父《ちち》の名《な》を使《つか》ったことに気《き》づかなかったの。そんな私《わたし》に七年前《しちねんまえ》、神様《かみさま》が味方《みかた》してくれた」

「七年前《しちねんまえ》……WSG《ダブルエスジー》が東京《とうきょう》で行《おこな》われることが決《き》まった年《とし》だね」

「そう、そしてこの男《おとこ》がWSG《ダブルエスジー》の会長《かいちょう》になった年《とし》よ！」

舞子《まいこ》はアランに銃《じゅう》を向《む》けながら、一歩前《いっぽまえ》に出《で》た。

「運命《うんめい》だと思《おも》った……！」血走《ちばし》った目《め》で思《おも》いつめたような笑《え》みを浮《う》かべた舞子《まいこ》は、さらに一歩足《いっぽあし》を前《まえ》に進《すす》める。

コナンと真純《ますみ》は目《め》だけを動《うご》かして、互《たが》いに見合《みあ》わせた。

「それで日本《にっぽん》のWSG《ダブルエスジー》協会《きょうかい》に潜《もぐ》り込《こ》んだってわけか」

真純《ますみ》の声《こえ》に、舞子《まいこ》が「そうよ」と答《こた》える。

「おかげでこの男《おとこ》がリニアに乗《の》ることがわかった。日本《にっぽん》の弾丸《だんがん》、ジャパニーズ・ブレットにね！」

コナンたちを乗《の》せたリニアは、再《ふたた》びスピードを上《あ》げ、時速《じそく》１０００キロに達《たっ》していた。

腰《こし》を落《お》とした真純《ますみ》が、手《て》に力《ちから》を込《こ》める。

「それで十五年前《じゅうごねんまえ》と同《おな》じ事件《じけん》を起《お》こしたのか？」

「ええ。この男《おとこ》に自分《じぶん》の罪《つみ》を思《おも》い出《だ》させるためにね」

「でもアンタは他《ほか》の人《ひと》は殺《ころ》さなかった」

三塚社長《みつづかしゃちょう》、史郎《しろう》、ジョンといずれも拉致《らち》された人間《にんげん》は、すぐ見《み》つかる場所《ばしょ》に放置《ほうち》されていたのだ。

「そう。殺《ころ》すのはこの男《おとこ》だけでいい。——あなたたち、どきなさい！」

舞子《まいこ》がアランに銃《じゅう》を向《む》けながら、コナンと真純《ますみ》を見《み》やる。すると、アランが真純《ますみ》の肩《かた》に手《て》を置《お》き、横《よこ》に移動《いどう》した。舞子《まいこ》が向《む》ける銃口《じゅうこう》も動《うご》く。

「この『日本《にっぽん》の弾丸《だんがん》』が終着駅《しゅうちゃくえき》に着《つ》いたときに……そう思《おも》ってたけど、あなたたちのおかげで予定《よてい》が変《か》わったわ。今死《いまし》んでもらう！」

舞子《まいこ》が銃《じゅう》の引《ひ》き金《がね》を引《ひ》こうとした瞬間《しゅんかん》——「やああぁ!!」真純《ますみ》が左足《ひだりあし》を振《ふ》り上《あ》げた。同時《どうじ》にコナンが腕時計型麻酔銃《うでどけいがたますいじゅう》を構《かま》える。

そのとき突然《とつぜん》、リニアが急減速《きゅうげんそく》した。

真純《ますみ》は床《ゆか》に倒《たお》れ込《こ》み、倒《たお》れながらコナンが撃《う》った麻酔針《ますいばり》が舞子《まいこ》の拳銃《けんじゅう》に当《あ》たって跳《は》ね返《かえ》る――。

座席《ざせき》モニターに映《うつ》るコナンたちがいきなり倒《たお》れて、新幹線内《しんかんせんない》はみんな驚《おどろ》いた。

「おい、何《なに》があったんだ⁉」

小五郎《こごろう》が、そばにいた井上《いのうえ》に詰《つ》め寄《よ》る。

急減速《きゅうげんそく》したリニアは、再《ふたた》び加速《かそく》して、そのラインの色《いろ》を変化《へんか》させる。

「くっ……」

床《ゆか》に倒《たお》れたコナンは、飛《と》んでいったメガネに手《て》を伸《の》ばした。メガネを拾《ひろ》いながら、車掌室《しゃしょうしつ》の制御装置《せいぎょそうち》を見《み》る。

うずくまる真純《ますみ》とアランのそばで、舞子《まいこ》だけは拳銃《けんじゅう》を持《も》ったまま壁《かべ》に寄《よ》りかかり倒《たお》れずにいた。壁《かべ》に頭《あたま》をぶつけたせいで、血《ち》が出《で》ている。

「やはり、神様《かみさま》は私《わたし》の味方《みかた》のようね」

再《ふたた》びアランに銃口《じゅうこう》を向《む》けた。

「やめるんだ！」メガネをかけたコナンが止《と》めようとすると、体《からだ》を起《お》こしたアランが舞子《まいこ》に向《む》き直《なお》った。

「……殺《ころ》すのは……私《わたし》だけでいいと言《い》ったな」

「そう。殺《ころ》すのはあなただけでいい！」

壁《かべ》から離《はな》れた舞子《まいこ》が両手《りょうて》で拳銃《けんじゅう》を構《かま》えると、アランは自分《じぶん》の左胸《ひだりむね》を指《さ》した。

「それなら、ここを撃《う》て！」

「アランさん！」驚《おどろ》いた真純《ますみ》が振《ふ》り返《かえ》る。

「ここを！」アランは左胸《ひだりむね》を強《つよ》く叩《たた》いた。「ここをもっと高《たか》い位置《いち》から撃《う》て！　そうすればたとえ弾丸《だんがん》が私《わたし》を貫通《かんつう》しても、床《ゆか》に着弾《ちゃくだん》する。リニアの構造上《こうぞうじょう》、床《ゆか》が最《もっと》も頑丈《がんじょう》にできているはずだ！」

アランの強《つよ》い語気《ごき》に、舞子《まいこ》がビクリと肩《かた》を上《あ》げる。立《た》ち上《あ》がったコナンは、真純《ますみ》に目《め》を向《む》けた。

「リニアは速《はや》く走《はし》るため、超軽量素材《ちょうけいりょうそざい》を使《つか》ってるんだよね。世良《せら》の姉《ねえ》ちゃん」

「え？」突然話《とつぜんはなし》をふられた真純《ますみ》は、きょとんとコナンを見《み》る。すると、コナンは目《め》を車掌室《しゃしょうしつ》の方《ほう》へ動《うご》かした。つられて真純《ますみ》も車掌室《しゃしょうしつ》を見《み》る。

トランクが引《ひ》っかかって開《ひら》きっぱなしになった扉《とびら》の奥《おく》に見《み》えたのは、制御装置《せいぎょそうち》――ピンと来《き》た真純《ますみ》は「ああ」と舞子《まいこ》の方《ほう》を向《む》いて立《た》ち上《あ》がった。「壁《かべ》や天井《てんじょう》はかなり薄《うす》い素材《そざい》でできているはずだ」

「動《うご》かないで！」舞子《まいこ》は真純《ますみ》に銃口《じゅうこう》を向《む》けた。すると、アランが口《くち》を開《ひら》く。

「もし弾丸《だんがん》が壁《かべ》や天井《てんじょう》を貫通《かんつう》したら、リニアの走行《そうこう》に影響《えいきょう》が出《で》て、ここにいる全員《ぜんいん》にも危《き》険《けん》が及《およ》ぶ。頑丈《がんじょう》とはいえ、床《ゆか》も同《おな》じ至近距離《しきんきょり》から撃《う》てば穴《あな》が空《あ》く」

再《ふた》びアランに銃口《じゅうこう》を向《む》けた舞子《まいこ》は、クッと歯噛《はが》みした。

「だから、私《わたし》の左胸《ひだりむね》を撃《う》てるギリギリまで離《はな》れ、できるだけ高《たか》い位置《いち》から私《わたし》を撃《う》つんだ」

「うるさい！　黙《だま》れ!!」舞子《まいこ》が拳銃《けんじゅう》を持《も》つ手《て》に力《ちから》を込《こ》める。

「白鳩《しらはと》さん」と呼《よ》びかけたコナンは、壁《かべ》に沿《そ》って舞子《まいこ》に近《ちか》づいた。「知《し》ってると思《おも》うけど、アランさんはかつて射撃《しゃげき》の選手《せんしゅ》としてＷＳＧ《ダブルエスジー》に出《で》てる銃《じゅう》のプロだよ」

「コナン君《くん》！」

井上《いのうえ》のタブレットでリニア内《ない》の映像《えいぞう》を見《み》ていた蘭《らん》は、コナンが拳銃《けんじゅう》を持《も》つ舞子《まいこ》に近《ちか》づくのを見《み》て思《おも》わず叫《さけ》んだ。

「お父《とう》さん！」

すぐそばにいる小五郎《こごろう》に助《たす》けを求《もと》めるが、小五郎《こごろう》も蘭《らん》も何《なに》もできない。ただ映像《えいぞう》を見守《みまも》るしかないのだ。

「ここだ！　ここを狙《ねら》え！」

床《ゆか》にひざをついたアランは、再《ふたた》び自分《じぶん》の左胸《ひだりむね》を指《さ》した。舞子《まいこ》は自《みずか》ら撃《う》てと言《い》うアランにとまどいながらも、アランの左胸《ひだりむね》に銃口《じゅうこう》を向《む》けた。無実《むじつ》の父親《ちちおや》を死《し》に追《お》いやった人物《じんぶつ》に復讐《ふくしゅう》するチャンスが、ようやく訪《おとず》れたのだ。このチャンスを無駄《むだ》にすることはできない――。

「もっと高《たか》く！　離《はな》れて！　もっとだ！」

腕《うで》を上《あ》げた舞子《まいこ》は、アランの指示《しじ》に従《したが》って後《うし》ろに下《さ》がった。

「腕《うで》を上《あ》げろ！　あと一歩《いっぽ》！」

命令口調《めいれいくちょう》に苛立《いらだ》ちながらも、一歩後退《いっぽこうたい》する。すると、下《さ》げた右足《みぎあし》が何《なに》かを踏《ふ》んで、バランスを崩《くず》した。

「今《いま》だ！」

舞子《まいこ》が踏《ふ》んだのは、アランのボールペンだった。壁際《かべぎわ》にいたコナンが走《はし》り出《だ》し、車掌室《しゃしょうしつ》の向《む》かいにある洗面所《せんめんじょ》のカーテンに飛《と》びつく。同時《どうじ》に真純《ますみ》が車掌室《しゃしょうしつ》に飛《と》び込《こ》み、制御装置《せいぎょそうち》のレバーを引《ひ》いた。

その瞬間《しゅんかん》――リニアが再《ふたた》び急減速《きゅうげんそく》した。バランスを崩《くず》しながらも、舞子《まいこ》はアランに銃《じゅう》を向《む》けていた。引《ひ》き金《がね》を引《ひ》くと同時《どうじ》に、カーテンをつかんだコナンが舞子《まいこ》の前《まえ》を横切《よこぎ》る。

ドオォンン!!

舞子《まいこ》の拳銃《けんじゅう》から放《はな》たれた弾丸《だんがん》がカーテンを貫通《かんつう》すると同時《どうじ》に、舞子《まいこ》の右胸《みぎむね》から血《ち》しぶきが飛《と》び散《ち》った。

カーテンを貫通《かんつう》した銃弾《じゅうだん》は、アランをそれてデッキの床《ゆか》に着弾《ちゃくだん》した。その先《さき》の10号車《ごうしゃ》の扉《とびら》のガラスが割《わ》れている。

コナンがつかんでいたカーテンがレールからブチブチと外《はず》れて、コナンと共《とも》に床《ゆか》に落《お》ちた。血《ち》しぶきが付《つ》いたそのカーテンには、二《ふた》つの銃弾《じゅうだん》が貫通《かんつう》した跡《あと》があった。

新幹線《しんかんせん》の車内《しゃない》に、銃声《じゅうせい》が響《ひび》いた。誰《だれ》かが悲鳴《ひめい》を上《あ》げる。

「コナン君《くん》!!」

カーテンと共《とも》にデッキに倒《たお》れているコナンを見《み》た蘭《らん》は、ショックのあまりよろめいた。小五郎《こごろう》がその肩《かた》をガッチリとつかむ。

「なんだ、何《なに》が起《お》きた⁉」

井上《いのうえ》のタブレットに映《うつ》ったリニアのデッキでは、舞子《まいこ》がうつぶせに倒《たお》れていて、右胸《みぎむね》の辺《あた》りから血《ち》だまりが広《ひろ》がっている――。

リニアにいる真純《ますみ》も、何《なに》が起《お》きたのかわからなかった。

制御装置《せいぎょそうち》のレバーを引《ひ》いてデッキに戻《もど》ると、血《ち》を流《なが》した舞子《まいこ》が倒《たお》れていたのだ。アランを撃《う》とうとした舞子《まいこ》が、なぜ――。

「誰《だれ》だ！　誰《だれ》が彼女《かのじょ》を撃《う》った⁉」

その頃《ころ》。キャメルの車《くるま》は東名高速道路《とうめいこうそくどうろ》の下《くだ》りを走《はし》っていた。

「撃《う》ったのはきっと、赤井《あかい》さんです」

「え？」

キャメルの言葉《ことば》に、ジョディは耳《みみ》を疑《うたが》った。

「でも、シュウはまだ名古屋《なごや》にいるはずよ。リニアは今《いま》、山梨《やまなし》の手前《てまえ》……そんな距離《きょり》、狙《そ》撃《げき》できるわけない」

「だから、赤井《あかい》さんは特別《とくべつ》な弾丸《だんがん》を作《つく》らせたんです。鉄製《てっせい》ではない、銀《ぎん》の弾丸《だんがん》を」

ジョディは驚《おどろ》いた。たしかに鉄製《てっせい》の弾《たま》だと、リニア軌道《きどう》の磁石《じしゃく》に吸《す》いついてしまう危険《きけん》がある。

キャメルは前方《ぜんぽう》を見《み》ながら、言葉《ことば》を続《つづ》けた。

「リニアの軌道《きどう》の超電導磁石《ちょうでんどうじしゃく》の影響《えいきょう》を受《う》けない、銀《ぎん》の弾丸《だんがん》。赤井《あかい》さんはさらに火薬《かやく》も調整《ちょうせい》し、弾《たま》の速度《そくど》を拳銃並《けんじゅうな》みの時速《じそく》１０００キロ程度《ていど》にしています。よって、その弾丸《だんがん》が真空《しんくう》トンネルに入《はい》れば、後《あと》はそのスピードを保《たも》ったまま、一定《いってい》の距離《きょり》で同《おな》じ速度《そくど》で走《はし》るリニアを追《お》えます」

ジョディは頭《あたま》の中《なか》で、銀《ぎん》の弾丸《だんがん》が真空《しんくう》トンネル内《ない》を突《つ》き抜《ぬ》けていくのをイメージした。

隔壁《かくへき》を閉《と》じた円筒形《えんとうけい》のチューブの中《なか》は真空近《しんくうちか》くに減圧《げんあつ》され、弾道《だんどう》は一直線《いっちょくせん》のまま――。

「そのとき、もしリニアが急減速《きゅうげんそく》してその減速時間《げんそくじかん》が長《なが》く続《つづ》いたなら、その間《かん》に銀《ぎん》の弾丸《だんがん》はリニアの超軽量素材《ちょうけいりょうそざい》を貫《つらぬ》きます。その際《さい》、車内《しゃない》のあらかじめ計算《けいさん》された位置《いち》に犯人《はんにん》の急《きゅう》所《しょ》があれば、狙撃《そげき》が可能《かのう》です」

キャメルの声《こえ》を聞《き》きながら、ジョディは銀《ぎん》の弾丸《だんがん》がリニアの車両《しゃりょう》を次々《つぎつぎ》と貫《つらぬ》いて犯人《はんにん》に到達《とうたつ》するのを頭《あたま》に描《えが》いた。けれど、どれだけ優秀《ゆうしゅう》なスナイパーでも、走《はし》る列車《れっしゃ》に乗《の》っている犯人《はんにん》をあらかじめ計算《けいさん》された位置《いち》に誘導《ゆうどう》するなんてことはできない。

「そのためには車内《しゃない》の協力者《きょうりょくしゃ》が必要《ひつよう》……まさか、それが……」

「ええ」キャメルは小《ちい》さくうなずいた。「きっとあの少年《しょうねん》、江戸川《えどがわ》コナン君《くん》です」

「白鳩《しらはと》さん！」

カーテンからガバッと顔《かお》を出《だ》したコナンは、倒《たお》れている舞子《まいこ》に近《ちか》づいた。舞子《まいこ》に意識《いしき》はなく、血《ち》だまりが広《ひろ》がり続《つづ》けている。

『コナン君《くん》、世良《せら》ちゃん、大丈夫《だいじょうぶ》!?』

コナンの胸《むね》につけた探偵《たんてい》バッジから、蘭《らん》の声《こえ》が聞《き》こえてきた。

「みんな無事《ぶじ》だよ」真純《ますみ》が答《こた》える。

『なぜ犯人《はんにん》が撃《う》たれた!?　暴発《ぼうはつ》か!?』

小五郎《こごろう》に訊《き》かれて、コナンは防犯《ぼうはん》カメラの方《ほう》を向《む》いて叫《さけ》んだ。

「そんなことより、このリニアを一番近《いちばんちか》い駅《えき》に止《と》めて、救急車《きゅうきゅうしゃ》を呼《よ》んで！」

やがてリニアは真空《しんくう》トンネルを出《で》た。

軌道《きどう》の超電導磁石《ちょうでんどうじしゃく》によって車体《しゃたい》が浮《う》き上《あ》がったまま、時速《じそく》５００キロのスピードで山梨県《やまなしけん》を走《はし》る――。

車掌《しゃしょう》は腕時計《うでどけい》で時間《じかん》を確認《かくにん》した。

「リニアが今走《いまはし》っている地点《ちてん》を考《かんが》えると、最《もっと》も近《ちか》い駅《えき》は終着駅《しゅうちゃくえき》です」

「つまり、芝浜駅《しばはまえき》……」蘭《らん》がつぶやくと、

「芝浜駅《しばはまえき》に警察《けいさつ》と救急車《きゅうきゅうしゃ》を待機《たいき》させます」

井上《いのうえ》がスマホを手《て》にデッキへ向《む》かう。

小五郎《こごろう》は、ふう……と息《いき》をついて、自分《じぶん》の座席《ざせき》に戻《もど》った。「これで一件落着《いっけんらくちゃく》か……」

すると、『いや、まだだよ』とコナンの声《こえ》が聞《き》こえてきた。

『そう、まだ共犯者《きょうはんしゃ》が残《のこ》ってるよ』

座席《ざせき》モニターを見《み》ると、舞子《まいこ》の拳銃《けんじゅう》を持《も》った真純《ますみ》が防犯《ぼうはん》カメラに向《む》かって訴《うった》えている。

「共犯者《きょうはんしゃ》？」思《おも》いもよらない言葉《ことば》に、小五郎《こごろう》は眉《まゆ》をひそめた。

9

名古屋《なごや》の中心地《ちゅうしんち》、栄《さかえ》にある久屋大通公園《ひさやおおどおりこうえん》。

南北約二《なんぼくやくに》キロにわたる帯状《おびじょう》の公園《こうえん》にはテレビ塔《とう》があり、その脇《わき》の歩道《ほどう》を由美《ゆみ》が危《あぶ》なっかしい足取《あしど》りで歩《ある》いていた。

「由美《ゆみ》タン、大丈夫《だいじょうぶ》?」

スーツケースを持《も》った秀吉《しゅうきち》が、フラフラしている由美《ゆみ》の体《からだ》を支《ささ》える。

「らーいじょーぶ……家族《かぞく》に会《あ》うまでは……ゲフッ。吐《は》かないからぁ……」

由美《ゆみ》は泥酔《でいすい》していた。真《ま》っ赤《か》な顔《かお》に目《め》はうつろで、足取《あしど》りもおぼつかない。

「今日《きょう》はもう東京《とうきょう》に帰《かえ》ろう。とにかく名古屋駅《なごやえき》までタクシーで……」

横断歩道《おうだんほどう》の前《まえ》で秀吉《しゅうきち》がタクシーを探《さが》していると、突然《とつぜん》、由美《ゆみ》が「あー!!」と叫《さけ》んだ。

「あの車《くるま》、絶対《ぜったい》にスピード違反《いはん》!!」と車道《しゃどう》に飛《と》び出《だ》す。

「こらーっ!　止《と》まりなさぁーい!!」

三車線《さんしゃせん》の広《ひろ》い道路《どうろ》の真《ま》ん中《なか》で手《て》を広《ひろ》げて仁王立《におうだ》ちする。

キイィィイ!!　走《はし》ってきた赤《あか》のマスタングが由美《ゆみ》にぶつかる寸前《すんぜん》で急停止《きゅうていし》した。

仁王立《におうだ》ちした由美《ゆみ》が、ぱたんとマスタングのボンネットに倒《たお》れる。

「ゆ、由美《ゆみ》タン！」秀吉《しゅうきち》が慌《あわ》てて駆《か》け寄《よ》った。「由美《ゆみ》タン！　大丈夫《だいじょうぶ》!?」

ボンネットに倒《たお》れた由美《ゆみ》は「んがぁ――」と豪快《ごうかい》なイビキをかいて寝《ね》ていて、

「…………」

運転席《うんてんせき》の赤井《あかい》はやや面食《めんく》らった様子《ようす》で、二人《ふたり》を凝視《ぎょうし》した。

アランは舞子《まいこ》の体《からだ》を起《お》こして壁《かべ》に寄《よ》せかけると、カーテンを舞子《まいこ》の右胸《みぎむね》に当《あ》てた。

『共犯者《きょうはんしゃ》がいるって、どういうこと？』

コナンの胸《むね》につけた探偵《たんてい》バッジから蘭《らん》の声《こえ》が聞《き》こえてきて、

「そうだろ？　コナン君《くん》」と真純《ますみ》がコナンを見《み》る。

コナンはスマホで新一《しんいち》と話《はな》すふりをしながら、防犯《ぼうはん》カメラの方《ほう》を向《む》いて言《い》った。

「どうやら、世良《せら》の姉《ねえ》ちゃんも気《き》づいてたみたいだよ、新一兄《しんいちにい》ちゃん」

「そりゃ気《き》づくさ、あんな物《もの》を見《み》たら」

真純《ますみ》は車掌室《しゃしょうしつ》にある制御装置《せいぎょそうち》のレバーをチラリと見《み》た。真純《ますみ》が蹴《け》りを繰《く》り出《だ》そうとしたとき、リニアが急減速《きゅうげんそく》した。あれは――。

「明《あき》らかに誰《だれ》かが遠隔操作《えんかくそうさ》した。それも犯人《はんにん》がピンチのときにね。つまり、共犯者《きょうはんしゃ》が助《たす》けたんだ」

スマホを耳《みみ》に当《あ》てたコナンは、防犯《ぼうはん》カメラに目《め》を向《む》けたまま、言葉《ことば》を継《つ》いだ。

「犯人《はんにん》は、アラン会長《かいちょう》を入《い》れた大《おお》きなトランクを持《も》って、このリニアに乗《の》り込《こ》んでいた」

世良《せら》もカメラ目線《めせん》で続《つづ》く。「空港《くうこう》でクエンチが起《お》きて、たとえ新名古屋駅《しんなごやえき》で警察《けいさつ》が手薄《てうす》になっていたとしても、普通《ふつう》は難《むずか》しいよな」

一般人《いっぱんじん》がリニアのホームに忍《しの》び込《こ》み、大《おお》きなトランクを中《なか》に運《はこ》び入《い》れていたら、おそらく警察《けいさつ》の目《め》に留《と》まるだろう。さらに力《ちから》のない女性《じょせい》が、人《ひと》が入《はい》った大《おお》きなトランクを運《はこ》び入《い》れるとは考《かんが》えにくい。

「つまり、共犯者《きょうはんしゃ》はリニアの関係者《かんけいしゃ》。そして男性《だんせい》……」コナンは厳《きび》しい表情《ひょうじょう》で防犯《ぼうはん》カメラを見《み》つめた。「そうだよね、井上《いのうえ》さん！」

名前《なまえ》を呼《よ》ばれた井上《いのうえ》は、メガネの奥《おく》のつぶらな瞳《ひとみ》を大《おお》きく見開《みひら》いた。

「なんで私《わたし》がッ……！」と思《おも》わず一歩下《いっぽさ》がる。

「なんだって！」「彼《かれ》が犯人《はんにん》なのか!?」

驚《おどろ》きの事実《じじつ》に新幹線《しんかんせん》の車内《しゃない》がざわつき、人々《ひとびと》の視線《しせん》が一斉《いっせい》に井上《いのうえ》に集《あつ》まった。

『クエンチなんて方法《ほうほう》を思《おも》いついて実行《じっこう》できるなんて、さすがリニアのエンジニアだね』

探偵《たんてい》バッジから聞《き》こえてくるコナンの声《こえ》に、灰原《はいばら》はハッとした。

「そういえば、リニアもMRI《エムアールアイ》も〈超電導磁石《ちょうでんどうじしゃく》〉を使《つか》っていたわね。プログラミング担当《たんとう》のあなただから、あんな細工《さいく》もできたってことかしら？」

灰原《はいばら》をはじめ、蘭《らん》や小五郎《こごろう》、エリーも訝《いぶか》しげに見《み》ると、井上《いのうえ》がさらに後《あと》ずさる。

『遠隔操作《えんかくそうさ》でさっきみたいな急減速《きゅうげんそく》ができるのは、このリニアの中《なか》がリアルタイムで見《み》えているエンジニアだけだ！』

コナンが言《い》い終《お》わらないうちに、灰原《はいばら》が突然《とつぜん》ダッシュして、井上《いのうえ》のタブレットを奪《うば》った。

「こらっ！」

井上《いのうえ》が奪《うば》い返《かえ》そうとすると、その腕《うで》を蘭《らん》がつかみ、後《うし》ろ手《で》に締《し》め上《あ》げる。

「逃《に》がさないわよ！」

「いててて！」

探偵《たんてい》バッジを口《くち》にくわえた灰原《はいばら》は、すばやくタブレットを操作《そうさ》した。

「あったわ。リニアの制御室《せいぎょしつ》のシステムと繋《つな》がってるソフトがね！」

「か、返《かえ》せ！」

蘭《らん》の手《て》を振《ふ》りほどいて手《て》を伸《の》ばす井上《いのうえ》を、今度《こんど》は小五郎《こごろう》が取《と》り押《お》さえた。

「お前《まえ》、なんでこんなことをッ！」と井上《いのうえ》の襟首《えりくび》を締《し》め上《あ》げる。

すると、灰原《はいばら》が右手《みぎて》に持《も》った探偵《たんてい》バッジから、真純《ますみ》の声《こえ》が聞《き》こえてきた。

『十五年前《じゅうごねんまえ》の事件《じけん》の関係者《かんけいしゃ》で、日本人《にほんじん》は二人《ふたり》だけだ。犯人《はんにん》の石原誠《いしはらまこと》と、一人目《ひとりめ》のターゲットになったお菓子《かし》メーカーのトップ……』

小五郎《こごろう》に締《し》め上《あ》げられた井上《いのうえ》は、苦《くる》しげに目《め》を閉《と》じた。

「……それが、俺《おれ》の父親《ちちおや》だ」

「なんだと⁉」

小五郎《こごろう》をはじめ、蘭《らん》や灰原《はいばら》、車内《しゃない》の一同《いちどう》が驚《おどろ》く。

「WSG《ダブルエスジー》のスポンサーを降《お》りた父《ちち》は、アメリカ中《じゅう》から非難《ひなん》され……挙句《あげく》に父《ちち》は会社《かいしゃ》のトップを解任《かいにん》された……。十五年前《じゅうごねんまえ》のあの事件《じけん》は、俺《おれ》たち一家《いっか》から全《すべ》てを奪《うば》ったんだ！」

井上《いのうえ》の声《こえ》が響《ひび》く車内《しゃない》に、間《ま》もなく新港浜駅《しんみなとはまえき》に到着《とうちゃく》することを告《つ》げるアナウンスが流《なが》れる。

「なのにFBI《エフビーアイ》は間違《まちが》った犯人《はんにん》をでっちあげて、事件《じけん》を終《お》わらせた……！」

「間違《まちが》った犯人《はんにん》……？」

小五郎《こごろう》がたずねると、井上《いのうえ》は表情《ひょうじょう》をゆがめて言葉《ことば》を継《つ》いだ。

「四年後《よねんご》、その模倣犯《もほうはん》が捕《つか》まった……俺《おれ》はそいつの顔《かお》を知《し》っていた！」

井上《いのうえ》は、父親《ちちおや》が拉致《らち》された日《ひ》のことを今《いま》でも鮮明《せんめい》に覚《おぼ》えている。

アメリカ、アトランタ――。

大学生《だいがくせい》の井上《いのうえ》が大《おお》きな自宅《じたく》の門脇《もんわき》の引《ひ》き戸《ど》から自転車《じてんしゃ》を引《ひ》いて外《そと》に出《で》ると、道《みち》の先《さき》にワンボックスカーが停《と》まり、その脇《わき》に人《ひと》が倒《たお》れていた。さらにその車《くるま》に拳銃《けんじゅう》を持《も》った覆面《ふくめん》の男《おとこ》たちが誰《だれ》かを押《お》し込《こ》めようとしている。それは、井上《いのうえ》の父《ちち》だった。

井上《いのうえ》は自転車《じてんしゃ》と肩《かた》に提《さ》げた空手着《からてぎ》を捨《す》てて、飛《と》び出《だ》した。必死《ひっし》に抵抗《ていこう》する父《ちち》が、覆面男《ふくめんおとこ》の覆面《ふくめん》を引《ひ》きはがすと同時《どうじ》に車《くるま》に押《お》し込《こ》まれた。

覆面《ふくめん》を取《と》られた男《おとこ》は、走《はし》ってくる井上《いのうえ》に気《き》づいた。慌《あわ》てて車《くるま》に乗《の》り込《こ》み、猛《もう》スピードで走《はし》り去《さ》っていく――。

そこには井上《いのうえ》と、倒《たお》れたままの父《ちち》の会社関係者《かいしゃかんけいしゃ》が取《と》り残《のこ》された。

四年後《よねんご》に捕《つか》まった模倣犯《もほうはん》は、父《ちち》に覆面《ふくめん》を取《と》られたヒスパニック系《けい》のアメリカ人《じん》だった。

「十五年前《じゅうごねんまえ》に父《ちち》を誘拐《ゆうかい》した犯人《はんにん》の一人《ひとり》が、その顔《かお》だった！　その俺《おれ》の証言《しょうげん》を、FBI《エフビーアイ》は握《にぎ》りつぶしたんだ。冤罪《えんざい》を作《つく》ったことを隠《かく》すためにな！」

『それが、FBI《エフビーアイ》への恨《うら》み？』

コナンの声《こえ》に、井上《いのうえ》はさらに表情《ひょうじょう》をゆがめた。

「……父《ちち》に向《む》けられた全米中《ぜんべいじゅう》の非難《ひなん》はすごかった。とてもアメリカにいられなかった」

「それで日本《にっぽん》に来《き》たのか？」井上《いのうえ》の襟首《えりくび》をつかんだ小五郎《こごろう》がたずねる。

スピードを落《お》とした新幹線《しんかんせん》は、新港浜駅《しんみなとはまえき》のホームにゆっくり滑《すべ》り込《こ》んだ。

「その日本《にっぽん》で見《み》つけたんだよ。十五年前《じゅうごねんまえ》の事件《じけん》をネットで調《しら》べるうちに、俺《おれ》と同《おな》じ恨《うら》みを持《も》っている女《おんな》を……」

タブレットのデータを見《み》ていた灰原《はいばら》は、チラリと井上《いのうえ》を見《み》た。

「白鳩舞子《しらはとまいこ》。あなたの共犯者《きょうはんしゃ》ね」

「ああ……そのとおりだ！」

答《こた》えると同時《どうじ》に、井上《いのうえ》はポケットからスタンガンを出《だ》して小五郎《こごろう》に突《つ》き出《だ》した。

「うわっち！」

小五郎《こごろう》がすばやくかわすと、井上《いのうえ》はスタンガンを引《ひ》いてそのまま後《うし》ろへ走《はし》り出《だ》した。そして、通路《つうろ》に立《た》ってタブレットを見《み》ていた灰原《はいばら》に襲《おそ》いかかって、タブレットを奪《うば》う――！

「きゃあああ！」

座席《ざせき》で中腰《ちゅうごし》になっていた女性《じょせい》が悲鳴《ひめい》を上《あ》げた。

「何《なに》してんだ！」

と通路《つうろ》に出《で》てきた男性《だんせい》を、井上《いのうえ》が突《つ》き飛《と》ばしてデッキへ走《はし》っていく。

「待《ま》てぃ！　このぉ！」小五郎《こごろう》と蘭《らん》が追《お》いかけた。新港浜駅《しんみなとはまえき》で停車《ていしゃ》した新幹線《しんかんせん》の扉《とびら》が閉《し》まる寸前《すんぜん》、井上《いのうえ》は車両《しゃりょう》から飛《と》び出《だ》し、追《お》いかけてきた小五郎《こごろう》も後《あと》に続《つづ》く。しかし蘭《らん》の眼前《がんぜん》で扉《とびら》が閉《し》まってしまった。

「お父《とう》さん！」

蘭《らん》が閉《し》まった扉《とびら》の窓《まど》に顔《かお》を近《ちか》づけると、タブレットを抱《かか》えてホームを走《はし》る井上《いのうえ》と、それを追《お》う小五郎《こごろう》の姿《すがた》が見《み》えた。

『灰原《はいばら》、何《なに》があった⁉　どうした⁉　大丈夫《だいじょうぶ》なのか⁉』

井上《いのうえ》にタブレットを奪《うば》われた拍子《ひょうし》に、灰原《はいばら》が持《も》っていた探偵《たんてい》バッジが飛《と》ばされて、座席《ざせき》の下《した》に落《お》ちた。

『返事《へんじ》をしろ！　灰原《はいばら》！　灰原《はいばら》ぁ⁉』

座席《ざせき》の下《した》に手《て》を伸《の》ばして探偵《たんてい》バッジを拾《ひろ》った灰原《はいばら》は、服《ふく》についた埃《ほこり》を払《はら》い、サイドの髪《かみ》を払《はら》う。

『犯人《はんにん》が逃《に》げたわ。新港浜駅《しんみなとはまえき》』

探偵《たんてい》バッジから灰原《はいばら》の声《こえ》を聞《き》いたコナンは「くそっ！」とつぶやいた。そして、すぐにスマホで電話《でんわ》をかける。

「もしもし？　先生《せんせい》、今《いま》どこ⁉」

コナンの背後《はいご》に立《た》っていた真純《ますみ》は、誰《だれ》かと電話《でんわ》で話《はな》しているコナンを訝《いぶか》しげに見下《みお》ろす。

東名高速道路《とうめいこうそくどうろ》の下《くだ》りを走《はし》るキャメルの車《くるま》は、東名川崎《とうめいかわさき》インターの辺《あた》りにいた。

「ええ、わかったわ。新港浜《しんみなとはま》に行《い》けばいいのね」

コナンからの電話《でんわ》を受《う》けたジョディが、運転席《うんてんせき》を見《み》る。「キャメル！」

「はい！」

キャメルはハンドルを左《ひだり》に切《き》り、高速道路《こうそくどうろ》の出口《でぐち》に向《む》かった。

同《おな》じ頃《ころ》。赤井《あかい》が運転《うんてん》するマスタングは東京《とうきょう》へ向《む》かう一般道《いっぱんどう》を走《はし》っていた。後部座席《こうぶざせき》では酔《よ》いつぶれた由美《ゆみ》が寝息《ねいき》を立《た》てて眠《ねむ》っていて、助手席《じょしゅせき》に座《すわ》った秀吉《しゅうきち》が愛《いと》しげな表情《ひょうじょう》でその寝顔《ねがお》を見《み》つめる。

「以前会《いぜんあ》ったときとは、まるで別人《べつじん》だな」

ルームミラーで後部座席《こうぶざせき》をチラリと見《み》た赤井《あかい》が言《い》う。

「そういえば兄《にい》さんに由美《ゆみ》タンの警護《けいご》、頼《たの》んだことあったっけ……」

「あったな」

女性警察官《じょせいけいさつかん》が連続《れんぞく》で殺《ころ》される事件《じけん》が起《お》きたとき、秀吉《しゅうきち》は兄《あに》の赤井《あかい》に『由美《ゆみ》タンを守《まも》ってくれ！』とメールしたのだ。

そのとき、車載《しゃさい》ホルダーにセットしたスマホが振動《しんどう》した。画面《がめん》には『コナン君《くん》』の表示《ひょうじ》。

赤井《あかい》はすばやく右耳《みぎみみ》にかけたワイヤレスヘッドセットを操作《そうさ》した。

「どうした、ボウヤ」

一方《いっぽう》、新港浜駅《しんみなとはまえき》では――。

その太《ふと》った体《からだ》からは想像《そうぞう》できないほど、井上《いのうえ》の足《あし》は速《はや》かった。

井上《いのうえ》を追《お》いかけてきた小五郎《こごろう》が新港浜駅《しんみなとはまえき》の篠原口《しのはらぐち》から出《で》てくると、井上《いのうえ》が乗《の》った車《くるま》が急《きゅう》発進《はっしん》するのが見《み》えた。あっという間《ま》に遠《とお》ざかっていく。

「図体《ずうたい》でけぇのに足《あし》はぇー！　しかも逃走車《とうそうしゃ》も用意《ようい》してやがったか!!」

小五郎《こごろう》は悔《くや》しそうに歯噛《はが》みして、ロータリーに停《と》まっているタクシーに向《む》かった。


『まもなく世界初《せかいはつ》の真空超電導《しんくうちょうでんどう》リニアが芝浜駅《しばはまえき》に到着《とうちゃく》します』

芝浜駅《しばはまえき》のアナウンスが、すぐそばの野外《やがい》ステージまで聞《き》こえてくる。

野外《やがい》ステージでは仮面《かめん》ヤイバーショーが終《お》わり、仮面《かめん》ヤイバーのサインをもらった子供《こども》たちがぞくぞくと帰《かえ》っていた。

「さ、みんな帰《かえ》るぞ」

阿笠博士《あがさはかせ》も、仮面《かめん》ヤイバーのサイン色紙《しきし》を持《も》っている元太《げんた》たちに声《こえ》をかける。

「え〜〜〜、ヤダぁ!!」

「もう仮面《かめん》ヤイバーショーは終《お》わったじゃろ？」

「せっかくリニアが来《く》るんだから、ホームに行《い》って見《み》ましょうよ！」

光彦《みつひこ》の提案《ていあん》に、園子《そのこ》は「バカね」と一蹴《いっしゅう》した。「どんだけ人《ひと》が集《あつ》まってると思《おも》ってんのよ」

しかし、子供《こども》たちは「見《み》たい！」「見《み》たい！」「見《み》たい！」と拳《こぶし》を突《つ》き上《あ》げてアピールする。困《こま》った園子《そのこ》は、阿笠博士《あがさはかせ》を振《ふ》り返《かえ》った。

「どうする、博士《はかせ》？」

「仕方《しかた》ないのぉ……」

新港浜駅《しんみなとはまえき》の出口《でぐち》からタクシーに乗《の》った小五郎《こごろう》は、井上《いのうえ》の車《くるま》を追《お》いかけて県道《けんどう》を走《はし》り、港北《こうほく》インターチェンジ付近《ふきん》まで来《き》ていた。しかし、道路《どうろ》が渋滞《じゅうたい》していてなかなか進《すす》まない。

運転手《うんてんしゅ》は後部座席《こうぶざせき》の小五郎《こごろう》を振《ふ》り返《かえ》った。

「これはもう追《お》いかけるのは無理《むり》ですねぇ」

「くそっ！」

小五郎《こごろう》は苛立《いらだ》ちながらスマホを取《と》り出《だ》し、電話《でんわ》をかけた。

「蘭《らん》っ！　目暮警部《めぐれけいぶ》に連絡《れんらく》してくれ！」

時速《じそく》５００キロで走行《そうこう》するリニアは、神奈川県《かながわけん》に入《はい》っていた。

アランは舞子《まいこ》の体《からだ》にカーテンを巻《ま》いて抱《だ》きかかえると、９号車《ごうしゃ》に入《はい》っていった。真純《ますみ》と一緒《いっしょ》にデッキに残《のこ》ったコナンは、赤井《あかい》に電話《でんわ》をかけている。

「……うん。この後《あと》は先生《せんせい》を助《たす》けてあげて」

スマホを切《き》るコナンの背後《はいご》に、真純《ますみ》が近《ちか》づいた。

「その電話《でんわ》の向《む》こうには、君《きみ》の言《い》う『ボクたちの味方《みかた》』が二人《ふたり》いる」

コナンはきょとんとした顔《かお》で振《ふ》り返《かえ》った。「え？　なんのこと？」

「一人《ひとり》は、君《きみ》が『先生《せんせい》』と呼《よ》ぶ人物《じんぶつ》。もう一人《ひとり》は、ライフルを使《つか》う……おそらくＦＢＩ《エフビーアイ》」

コナンは何《なに》も答《こた》えず、眉《まゆ》を寄《よ》せて真純《ますみ》を見《み》つめた。真純《ますみ》も険《けわ》しい目《め》つきで見《み》つめ返《かえ》す。

そのとき、車内放送《しゃないほうそう》のチャイムが鳴《な》った。

『芝浜駅到着《しばはまえきとうちゃく》10分前《ぷんまえ》になりました。ただいまより減速《げんそく》します』

アナウンスと同時《どうじ》に、コナンのスマホから着信音《ちゃくしんおん》が鳴《な》った。

「鳴《な》ってるよ」真純《ますみ》が淡々《たんたん》とした口調《くちょう》で促《うなが》す。

「………」

鳴《な》っているのは、コナンが右手《みぎて》に持《も》っているスマホではなかった。コナンは懐《ふところ》に左手《ひだりて》を入《い》れ、新一《しんいち》のスマホを取《と》り出《だ》した。

「！」二台目《にだいめ》のスマホに、真純《ますみ》が目《め》を見張《みは》る。

コナンは応答《おうとう》ボタンをタップして、スマホを耳《みみ》に当《あ》てた。

『――新一《しんいち》？　今《いま》どこ？　お父《とう》さんから新港浜《しんみなとはま》の港北《こうほく》インターチェンジで犯人《はんにん》を見失《みうしな》ったって連絡《れんらく》が……新一《しんいち》？』

蘭《らん》の声《こえ》を聞《き》いたコナンは、一言《ひとこと》も発《はっ》せずにスマホを切《き》った。

「スマホ……二台持《にだいも》ってたんだ」

「うん、そうだよ」

コナンはあっさり答《こた》えると、右手《みぎて》のスマホでジョディに電話《でんわ》をかけた。

「もしもし、先生《せんせい》？　犯人《はんにん》が今《いま》いる場所《ばしょ》は――」

「港北《こうほく》インターチェンジ付近《ふきん》？」

コナンから電話《でんわ》を受《う》けているジョディの横《よこ》で、キャメルはすばやくカーナビを操作《そうさ》した。

「新港浜《しんみなとはま》から港北《こうほく》インターに向《む》かったとなると、第三京浜《だいさんけいひん》で東京《とうきょう》に行《い》くつもりでしょうかね……」

ジョディはキャメルの声《こえ》を聞《き》きながら、カーナビに表示《ひょうじ》された新港浜周辺《しんみなとはましゅうへん》の地図《ちず》をじっと見《み》つめた。


赤井《あかい》が運転《うんてん》するマスタングは、東名高速道路《とうめいこうそくどうろ》の上《のぼ》りを走《はし》っていた。車載《しゃさい》ホルダーにセットしたスマホで、ジョディと電話《でんわ》をしている。

「あるいはそう見《み》せかけて、下《くだ》り線《せん》から臨海部《りんかいぶ》に向《む》かったか……」

赤井《あかい》がハンドルを握《にぎ》りながら言《い》うと、助手席《じょしゅせき》から「なんのために？」と声《こえ》がした。助手《じょしゅ》席《せき》に座《すわ》った秀吉《しゅうきち》は、ナビアプリを起動《きどう》させたスマホを顔《かお》の前《まえ》に掲《かか》げるようにして見《み》ていた。

「僕《ぼく》はあまり複雑《ふくざつ》に考《かんが》えない方《ほう》がいいと思《おも》ってる」

そう言《い》ってスマホを下《お》ろし、穏《おだ》やかな笑《え》みを浮《う》かべる。

「例《たと》えば……港北《こうほく》インターチェンジの先《さき》には産業道路《さんぎょうどうろ》が東西《とうざい》に伸《の》びているけど、それを西《にし》に進《すす》めば鶴見川《つるみがわ》にかかる鴨池大橋《かもいけおおはし》に行《い》き当《あ》たる。今《いま》の時間《じかん》、橋《はし》の上《うえ》からリニアを見《み》ることができるんじゃないかな」

「！　まさか……!?」赤井《あかい》は目《め》を見張《みは》った。

『犯人《はんにん》はリニアを追《お》ってるってこと!?』

スマホのスピーカーから聞《き》こえてくるジョディの声《こえ》に、秀吉《しゅうきち》は「おそらく」と短《みじか》く答《こた》えた。

「ジョディ！」

『わかったわ、シュウ！　――キャメル、鴨池大橋《かもいけおおはし》に急《いそ》いで！』

スマホのスピーカーから『了解《りょうかい》！』とキャメルの声《こえ》が聞《き》こえた。

鶴見川《つるみがわ》に架《か》かる巨大《きょだい》なアーチ橋《きょう》――鴨池大橋《かもいけおおはし》の路肩《ろかた》に、一台《いちだい》の外車《がいしゃ》がハザードランプを点《つ》けて停《と》まっていた。それは井上《いのうえ》の車《くるま》だった。

橋《はし》の上《うえ》からは、東西《とうざい》にまっすぐ伸《の》びたリニアの高架《こうか》が遠《とお》くに見《み》える。

井上《いのうえ》は助手席《じょしゅせき》のタブレットを拾《ひろ》い上《あ》げ、操作《そうさ》しはじめた。

「……スピードは400キロ。芝浜駅《しばはまえき》に到着《とうちゃく》はあと5分《ふん》……」

画面《がめん》にはリニアの速度《そくど》や現在位置《げんざいいち》、防犯《ぼうはん》カメラ映像《えいぞう》などが表示《ひょうじ》され、その横《よこ》に〈プランA《エー》〉〈プランB《ビー》〉〈プランC《シー》〉……とアルファベット順《じゅん》に並《なら》んだボタンがいくつもある。

「だが、これで終《お》わりだ」

井上《いのうえ》は〈プランB《ビー》〉と書《か》かれたボタンをタップした。

10

コナンたちを乗《の》せたリニアは、芝浜駅到着《しばはまえきとうちゃく》に向《む》け、減速《げんそく》しながら高架《こうか》の軌道《きどう》を走《はし》っていた。

「コナン君《くん》」真純《ますみ》は身《み》をかがめ、右手《みぎて》をスッと差《さ》し出《だ》した。「君《きみ》のスマホ、二台《にだい》とも見《み》せてくれないかな。ボクも知《し》りたいんだよ、自分《じぶん》の味方《みかた》を」

「………」

コナンは二台《にだい》のスマホを持《も》つ両手《りょうて》に力《ちから》を込《こ》めた。

「それとも、ボクに見《み》せられない理由《りゆう》があるのかな……」

真純《ますみ》の差《さ》し出《だ》した手《て》が、さらに近《ちか》づく。

するとそのとき、どこからか爆発音《ばくはつおん》がした。

「うわっ！」デッキが揺《ゆ》れて、真純《ますみ》がバランスを崩《くず》しかける。「何《なん》の音《おと》だ!?」

大《おお》きな揺《ゆ》れはすぐに収《おさ》まった。しかし、今度《こんど》は別《べつ》の小《ちい》さな振動《しんどう》が、コナンの足《あし》に伝《つた》わってくる。コナンはデッキの床《ゆか》に目《め》を向《む》けた。

「もしかして、スピードが上《あ》がった……？」

扉《とびら》の窓《まど》を見《み》ると、流《なが》れる景色《けしき》の速《はや》さが明《あき》らかに速《はや》くなっている。

「もうすぐ芝浜駅《しばはまえき》だから、スピードは落《お》としたはずなのに……」

コナンの声《こえ》に、真純《ますみ》がハッとする。

「まさか、まだアランさんを殺《ころ》そうとしてる⁉」

コナンは、クッ……と歯噛《はが》みした。

逃《に》げた井上《いのうえ》の復讐計画《ふくしゅうけいかく》は、まだ終《お》わっていなかったのだ。しかも――。

「このジャパニーズ・ブレットを使《つか》ってかよ！」

スピードを上《あ》げたリニアは、車体《しゃたい》のラインの色《いろ》を変化《へんか》させながら、高架《こうか》の軌道《きどう》を走《はし》っていく――。


鴨池大橋《かもいけおおはし》に差《さ》しかかったキャメルは、橋《はし》の上《うえ》で停《と》まっている車《くるま》を見《み》つけた。

「いました。黒《くろ》のドイツ車《しゃ》、あの車《くるま》のようです」

「慎重《しんちょう》にね」ジョディが前《まえ》を向《む》いたまま言《い》う。

「はい！」

キャメルはスピードを上《あ》げ、井上《いのうえ》の車《くるま》に近《ちか》づいた。すると突然《とつぜん》、井上《いのうえ》の車《くるま》が摩擦音《まさつおん》を立《た》てて急発進《きゅうはっしん》した。自分《じぶん》を追《お》っている車《くるま》だと気《き》づいたのだ。

「追《お》います！」

キャメルはさらにアクセルを踏《ふ》み込《こ》み、蛇行《だこう》しながら橋《はし》を走《はし》る井上《いのうえ》の車《くるま》を追《お》った。

芝浜地区《しばはまちく》・リニア運転制御室《うんてんせいぎょしつ》。

大《おお》きな警告音《けいこくおん》が鳴《な》り響《ひび》いた広《ひろ》い室内《しつない》では、操作端末《そうさたんまつ》に向《む》かう職員《しょくいん》たちがパニックになっていた。大型《おおがた》マルチモニターには疾走《しっそう》するリニアが映《うつ》り、制御室《せいぎょしつ》のあちこちで声《こえ》が飛《と》び交《か》う。

「この速度《そくど》じゃリニアの車輪《しゃりん》が出《で》ない！」

「このままじゃ駅《えき》に衝突《しょうとつ》するぞ！」

「軌道《きどう》のＳＮ《エスエヌ》が反転《はんてん》できません！」

芝浜駅《しばはまえき》へ向《む》かう新幹線《しんかんせん》の中《なか》、リニアが暴走《ぼうそう》していることを知《し》った蘭《らん》は「なんとかならないんですか⁉」とエリーに詰《つ》め寄《よ》った。

「私《わたし》に言《い》われても……」

困惑《こんわく》するエリーのそばの座席《ざせき》で、スマホでリニアのことを調《しら》べていた灰原《はいばら》が口《くち》を開《ひら》く。

「リニアには手動運転室《しゅどううんてんしつ》があるのよね？　制御室《せいぎょしつ》と繋《つな》いで指示《しじ》をもらって」

「え？」エリーがきょとんと灰原《はいばら》を見《み》る。

「あの二人《ふたり》なら、何《なに》かできるかもしれない」

「や、素人《しろうと》の子供《こども》に運転《うんてん》なんて――」

「いいから早《はや》く！」

灰原《はいばら》に気圧《けお》されたエリーは「わかったわよ」とスマホを取《と》り出《だ》し、制御室《せいぎょしつ》に電話《でんわ》をかけた。


リニアはなおも加速《かそく》し続《つづ》けていた。在来線《ざいらいせん》と並行《へいこう》する高架《こうか》の軌道《きどう》を、時速《じそく》５００キロのスピードで駆《か》け抜《ぬ》けていく。

灰原《はいばら》から指示《しじ》されたコナンと真純《ますみ》は車掌室《しゃしょうしつ》に入《はい》り、制御装置《せいぎょそうち》のブレーキレバーを引《ひ》いてみた。しかし、

「くそっ！」

「ダメだ、ブレーキが利《き》かない！」

リニアはなおも猛《もう》スピードで走《はし》り続《つづ》けている。

「灰原《はいばら》」コナンは胸《むね》の探偵《たんてい》バッジに呼《よ》びかけた。「制御室《せいぎょしつ》の言《い》うとおりにしても速度《そくど》が落《お》ちない！」

灰原《はいばら》はコナンの声《こえ》が聞《き》こえてくる探偵《たんてい》バッジを、蘭《らん》とエリーに向《む》けた。

制御室《せいぎょしつ》と連絡《れんらく》を取《と》っていたエリーが、灰原《はいばら》を見《み》る。

「制御室《せいぎょしつ》でも操作不能《そうさふのう》だって！」

「どうして⁉」蘭《らん》は前《まえ》のめりになってたずねた。

「正体不明《しょうたいふめい》のプログラミングが勝手《かって》に動《うご》いてて止《と》められないそうよ」

エリーの声《こえ》を聞《き》いて、灰原《はいばら》は視線《しせん》を落《お》として思考《しこう》を巡《めぐ》らせた。

(犯人《はんにん》があらかじめプログラミングした別《べつ》のシステムってこと……？)

灰原《はいばら》の頭《あたま》に、井上《いのうえ》が持《も》っていたタブレットが思《おも》い浮《う》かぶ。

「そんな……」蘭《らん》はエリーに迫《せま》った。「このまま行《い》くとどうなるんですか？」

「軌道《きどう》の電流《でんりゅう》は完全《かんぜん》に止《と》めたから、リニアを浮《う》かせる力《ちから》はなくなり、徐々《じょじょ》にスピードが落《お》ち、最後《さいご》は……胴体着陸《どうたいちゃくりく》」

「胴体着陸《どうたいちゃくりく》ッ……⁉」

青《あお》ざめる蘭《らん》の周《まわ》りで、参加者《さんかしゃ》たちのどよめきが起《お》きる。すると、

「大丈夫《だいじょうぶ》よ」座席《ざせき》に座《すわ》った灰原《はいばら》が言《い》った。「車両《しゃりょう》の超電導磁石《ちょうでんどうじしゃく》が生《い》きてるうちは、脱線《だっせん》はしないわ。スピードが落《お》ちても、バランスを保《たも》ったまま胴体着陸《どうたいちゃくりく》するはず」

冷静《れいせい》な口調《くちょう》ですらすらと説明《せつめい》する灰原《はいばら》に、エリーが目《め》を丸《まる》くする。

「……あなた、何者《なにもの》……？」

「科学《かがく》が大好《だいす》きなただの小学生《しょうがくせい》よ」

灰原《はいばら》はフッと口元《くちもと》に笑《え》みを浮《う》かべた。

リニアの異変《いへん》に気《き》づいたのは、リニアの高架《こうか》と並行《へいこう》する道路《どうろ》を走《はし》るドライバーだった。

「うおっ！　なんだ⁉」

超高速《ちょうこうそく》で駆《か》け抜《ぬ》けるリニアから、大量《たいりょう》の白煙《はくえん》が噴《ふ》き出《で》ているのだ。

突然《とつぜん》、リニアの車体《しゃたい》が大《おお》きく唸《うな》った。

「うわぁ！」

車掌室《しゃしょうしつ》にいたコナンと真純《ますみ》は体勢《たいせい》を崩《くず》して、デッキに倒《たお》れ込《こ》んだ。さらに大《おお》きなトランクが真純《ますみ》に向《む》かって倒《たお》れてくる。

白煙《はくえん》を噴《ふ》き出《だ》したリニアは、軌道《きどう》の壁面《へきめん》に車体《しゃたい》を何度《なんど》もぶつけながら、超高速《ちょうこうそく》で走《はし》り続《つづ》ける――。

キャメルの車《くるま》は、県道《けんどう》１０９号《ごう》を疾走《しっそう》する井上《いのうえ》の車《くるま》を追《お》っていた。

「キャメル、あなたの腕《うで》なら大丈夫《だいじょうぶ》ね？」

助手席《じょしゅせき》のジョディの声《こえ》に、ハンドルを握《にぎ》ったキャメルは前《まえ》を向《む》いたまま「はい」と答《こた》えた。「ただ、この辺《あた》りは土地勘《とちかん》がありません」

「大丈夫《だいじょうぶ》。ナビは私《わたし》が」

ジョディがカーナビに手《て》を伸《の》ばすと、右手《みぎて》に持《も》ったスマホのスピーカーから赤井《あかい》の声《こえ》がした。

『いや、それはこちらがやる。その辺《へん》の地図《ちず》は全《すべ》て記憶《きおく》した』

「そうだな？」

ハンドルを握《にぎ》った赤井《あかい》は、助手席《じょしゅせき》の秀吉《しゅうきち》をチラリと見《み》やった。スマホを着物《きもの》の袂《たもと》にしまった秀吉《しゅうきち》は、穏《おだ》やかな顔《かお》をして眼鏡《めがね》をはずし、静《しず》かに目《め》を閉《と》じる。

「ああ、見《み》えたよ。勝《か》ち筋《すじ》が」

目《め》を開《あ》けた秀吉《しゅうきち》は袂《たもと》から扇子《せんす》を取《と》り出《だ》し、ペシッと頬《ほお》に軽《かる》く当《あ》てた。そして再《さい》び目《め》を閉《と》じ、扇子《せんす》を鼻先《はなさき》に当《あ》てる。

「……先《ま》ず攻方《せめかた》を二手《ふたて》に分《わ》けて」

秀吉《しゅうきち》の指示《しじ》を、赤井《あかい》がワイヤレスヘッドセットで伝《つた》える。

「ジョディとキャメル、二手《ふたて》に分《わ》かれろ」

キャメルの車《くるま》からジョディが降《お》りると、キャメルはすぐに車《くるま》を発進《はっしん》させた。ルームミラーに、ジョディがタクシーに手《て》を上《あ》げる姿《すがた》が映《うつ》る。

「赤井君《あかいくん》、二手《ふたて》に分《わ》かれたぞ」

後部座席《こうぶざせき》のジェイムズが、手《て》に持《も》つスマホに向《む》けて言《い》った。スマホの画面《がめん》には、グループ通話《つうわ》ができるアプリが表示《ひょうじ》されている。

タクシーに乗《の》り込《こ》んだジョディは、すぐにスマホを耳《みみ》に当《あ》てた。

「次《つぎ》はどうするの？　シュウ」

東名高速道路《とうめいこうそくどうろ》を走《はし》るマスタングの助手席《じょしゅせき》で目《め》を閉《と》じた秀吉《しゅうきち》は、鼻先《はなさき》に触《ふ》れた扇子《せんす》を離《はな》した。

「一《いち》はそのまま」

「キャメルはそのまま追《お》え」

赤井《あかい》がワイヤレスヘッドセットで指示《しじ》すると、秀吉《しゅうきち》は閉《と》じた扇子《せんす》を顔《かお》の前《まえ》で軽《かる》く振《ふ》った。

「二《に》は今《いま》から言《い》う地点《ちてん》で待機《たいき》」

秀吉《しゅうきち》の指示《しじ》を赤井《あかい》が伝《つた》えると、

『えっ？　待機《たいき》!?』

ヘッドセットからジョディの驚《おどろ》いた声《こえ》が聞《き》こえてきた。

「変則型《へんそくがた》の詰将棋《つめしょうぎ》です」

扇子《せんす》を開《ひら》いた秀吉《しゅうきち》は、パチッと小気味《こきみ》よい音《おと》を立《た》てて扇子《せんす》を閉《と》じた。

「これなら、五手《ごて》で詰《つ》める」

渋滞《じゅうたい》で身動《みうご》きが取《と》れないタクシーを降《お》りた小五郎《こごろう》は、場所《ばしょ》を移動《いどう》して、高木《たかぎ》が運転《うんてん》する覆面《ふくめん》パトカーの到着《とうちゃく》を待《ま》った。

しばらくして、赤色灯《せきしょくとう》を点《つ》けた車《くるま》がサイレンを鳴《な》らしながらやってきた。急停車《きゅうていしゃ》した車《くるま》に、小五郎《こごろう》が走《はし》り寄《よ》る。

「遅《おそ》い！　犯人《はんにん》を追《お》うぞ！」

助手席側《じょしゅせきがわ》の窓《まど》が開《あ》いて、高木《たかぎ》と佐藤《さとう》が顔《かお》を出《だ》す。

「実《じつ》はリニアが暴走《ぼうそう》したとの情報《じょうほう》が入《はい》って」

「あと五分《ごふん》で芝浜駅《しばはまえき》に突《つ》っ込《こ》みます！」

二人《ふたり》の報告《ほうこく》に、汗《あせ》だくの小五郎《こごろう》は「はっ⁉」と目《め》を見開《みひら》いた。「なんだって〜〜〜〜⁉」

阿笠博士《あがさはかせ》と園子《そのこ》、そして元太《げんた》ら子供《こども》たちは、到着《とうちゃく》するリニアを一目見《ひとめみ》ようと芝浜駅《しばはまえき》に来《き》ていた。しかし、駅舎《えきしゃ》の中《なか》はあふれかえるほどの人《ひと》がいて、突然《とつぜん》、機動隊員《きどうたいいん》が外《そと》へ出《で》るよう誘導《ゆうどう》しはじめた。

「現在《げんざい》、川品方面《かわしなほうめん》は大変混雑《たいへんこんざつ》し、一度入《いちどはい》ると戻《もど》れません！　速《すみ》やかに――」

大勢《おおぜい》の人《ひと》が逃《に》げるようにバタバタと走《はし》る中《なか》、阿笠博士《あがさはかせ》は立《た》ち止《ど》まって振《ふ》り返《かえ》った。

「みんな、ついてきておるか⁉」

「大丈夫《だいじょうぶ》よ、博士《はかせ》！」子供《こども》たちに付《つ》き添《そ》いながら走《はし》ってきた園子《そのこ》が答《こた》える。子供《こども》たちはリニアが見《み》られないことにガッカリしていた。

「リニア見《み》れないのかよ～！」

「残念《ざんねん》ですね」

「また来《こ》よ～」

落胆《らくたん》する子供《こども》たちの前《まえ》で、阿笠博士《あがさはかせ》は周囲《しゅうい》を見回《みまわ》した。

「一体何《いったいなに》が起《お》こったんじゃ……⁉」


コナンたちを乗《の》せたリニアは、軌道《きどう》の壁面《へきめん》へ衝突《しょうとつ》を繰《く》り返《かえ》しながら破片《はへん》をまき散《ち》らし、超高速《ちょうこうそく》で進《すす》んでいた。さらに後方《こうほう》の車両《しゃりょう》からは、大量《たいりょう》の白煙《はくえん》が噴《ふ》き上《あ》がっている。

あまりの揺《ゆ》れに、コナンと真純《ますみ》はデッキに座《すわ》り込《こ》んでいた。

「揺《ゆ》れがひどすぎて立《た》ってられないや」

照明《しょうめい》が明滅《めいめつ》したかと思《おも》うと、コナンの背後《はいご》の仕切《しき》り扉《とびら》がバチバチッとスパークした。

「！　扉《とびら》が――」

仕切《しき》り扉《とびら》が全開《ぜんかい》すると同時《どうじ》に揺《ゆ》れが激《はげ》しくなり、コナンの体《からだ》が吹《ふ》っ飛《と》ばされる。

「うわああっっ！」

川品駅《かわしなえき》に向《む》かう新幹線《しんかんせん》の中《なか》、座席《ざせき》モニターでリニアの防犯《ぼうはん》カメラ映像《えいぞう》を見《み》ていた灰原《はいばら》は目《め》を疑《うたが》った。

「なんでこんなにバランスが崩《くず》れてるの⁉」

ノイズが入《はい》った防犯《ぼうはん》カメラ映像《えいぞう》ではリニア車内《しゃない》が激《はげ》しく揺《ゆ》れ、コナンと真純《ますみ》はデッキに倒《たお》れ伏《ふ》していた。車両《しゃりょう》の超電導磁石《ちょうでんどうじしゃく》が生《い》きていればバランスを保《たも》てるはずなのに、なぜ——。

「はい、わかりました」

エリーがスマホを手《て》で押《お》さえながら、灰原《はいばら》や車掌《しゃしょう》のところへやってきた。

「制御室《せいぎょしつ》に確認《かくにん》したら、リニアから液体《えきたい》ヘリウムが漏《も》れてるって！」

「まさか、クエンチ！」

灰原《はいばら》の声《こえ》に、蘭《らん》が目《め》を見張《みは》る。「それって、さっき病院《びょういん》で起《お》きた……！」

コナンに知《し》らせなければ——灰原《はいばら》は探偵《たんてい》バッジのマイクを口《くち》に近《ちか》づけた。

リニアに乗《の》っているコナンと真純《ますみ》は、激《はげ》しい揺《ゆ》れに耐《た》えながら車掌室《しゃしょうしつ》に入《はい》り、制御装置《せいぎょそうち》のレバーや速度《そくど》コンソールを操作《そうさ》してみた。しかし、

「何《なに》も反応《はんのう》しなくなってる！」

どのボタンやレバーも全《まった》く反応《はんのう》しない。

『江戸川君《えどがわくん》！』コナンの探偵《たんてい》バッジから、灰原《はいばら》の声《こえ》がした。『リニアの超電導磁石《ちょうでんどうじしゃく》がクエンチしたわ！』

「そうか、さっきの爆発音《ばくはつおん》が……」

コナンは車掌室《しゃしょうしつ》から顔《かお》を出《だ》して、後《うし》ろの車両《しゃりょう》を見《み》た。仕切《しき》り扉《とびら》が全《すべ》て開《ひら》いたままになっていて、車両《しゃりょう》がずっと見渡《みわた》せる。二台《にだい》のスマホを見《み》せてと真純《ますみ》に手《て》を差《さ》し出《だ》されたとき、どこからか爆発音《ばくはつおん》がした。あれがクエンチだったのだ。

そのとき、またリニアが激《はげ》しく揺《ゆ》れて、コナンは「ぐうっ……！」と壁《かべ》に手《て》をつき両足《りょうあし》を踏《ふ》ん張《ば》らせた。明滅《めいめつ》する天井《てんじょう》の照明《しょうめい》がスパークする。

探偵《たんてい》バッジを持《も》った灰原《はいばら》は、必死《ひっし》に思考《しこう》を巡《めぐ》らせた。

(このままじゃ脱線《だっせん》する。どうしたら……)

そのとき、車内《しゃない》の誰《だれ》かが声《こえ》を上《あ》げた。

「あっ！　見《み》て!!」

「やばいよ、あれ……！」

その声《こえ》に反応《はんのう》して、参加者《さんかしゃ》たちは窓《まど》の方《ほう》を見《み》た。座席《ざせき》から立《た》ち上《あ》がって、窓《まど》の方《ほう》に近《ちか》づく人《ひと》もいる。窓際《まどぎわ》に座《すわ》った灰原《はいばら》も、反対側《はんたいがわ》の窓《まど》に目《め》を向《む》けた。通路《つうろ》に立《た》っていた蘭《らん》も窓《まど》を見《み》る。

窓《まど》の外《そと》には——新幹線《しんかんせん》の高架《こうか》と並行《へいこう》するリニアの軌道《きどう》があった。その軌道《きどう》の壁面《へきめん》にぶつかりながら、リニアが超高速《ちょうこうそく》で走《はし》り抜《ぬ》ける。

「コナン君《くん》……!!」

蘭《らん》の声《こえ》が聞《き》こえたような気《き》がして、コナンは背後《はいご》を振《ふ》り返《かえ》った。

すると、乗降扉《じょうこうとびら》の窓《まど》から、リニアと並走《へいそう》する新幹線《しんかんせん》が見《み》える——。

「蘭《らん》——!!」

思《おも》わず叫《さけ》ぶと、そばにいた真純《ますみ》が「蘭《らん》?」と眉《まゆ》をひそめる。コナンは慌《あわ》てて「……姉《ねえ》ちゃん!」と付《つ》け足《た》した。

『江戸川君《えどがわくん》』探偵《たんてい》バッジから再《ふたた》び灰原《はいばら》の声《こえ》がした。

『あなたがさっきまでいたところはサブの制御室《せいぎょしつ》よ。もしかしたら先頭車《せんとうしゃ》にあるメインの運転室《うんてんしつ》なら、ブレーキの反応《はんのう》があるかもしれないわ!』

「……わかった! サンキュ!」

『急《いそ》いで!』

「おう!」コナンと真純《ますみ》は走《はし》り出《だ》した。

軌道《きどう》に衝突《しょうとつ》しながら時速《じそく》700キロで走《はし》るリニアが、鉄橋《てっきょう》を渡《わた》る。破壊《はかい》された軌道《きどう》の一部《いちぶ》が、次々《つぎつぎ》と水柱《みずばしら》を立《た》てて川《かわ》の中《なか》へ落《お》ちていった。

東京《とうきょう》へ向《む》かうマスタングの中《なか》。

助手席《じょしゅせき》に座《すわ》る秀吉《しゅうきち》の頭脳《ずのう》に、港浜《みなとはま》の地図《ちず》と将棋盤《しょうぎばん》が重《かさ》なるように描《えが》かれた。

「一手目《いってめ》」秀吉《しゅうきち》が手《て》にした扇子《せんす》を振《ふ》り下《お》ろした。頭《あたま》の中《なか》の将棋盤《しょうぎばん》の駒《こま》を動《うご》かす。

「攻方《せめかた》は、八王子街道《はちおうじかいどう》近《ちか》くの谷西駅《やにしえき》へ」

「キャメル、谷西駅《やにしえき》へ行《い》け」

赤井《あかい》が伝《つた》えると、キャメルの『え?』ととまどう声《こえ》が聞《き》こえてきた。

『そうすると、犯人《はんにん》の車《くるま》から離《はな》れてしまいます』

「いいから、谷西駅《やにしえき》だ」

赤井《あかい》の有無《うむ》を言《い》わさぬ口調《くちょう》に、キャメルは『……はい!』と答《こた》えた。

井上《いのうえ》の車《くるま》は、県道《けんどう》109号《ごう》を南下《なんか》していた。ときおりルームミラーで、追《お》ってくるキャメルが運転《うんてん》するベンツを確認《かくにん》する。

すると突然《とつぜん》、ベンツが右折《うせつ》した。

「追《お》ってきていたわけじゃないのか……?」

井上《いのうえ》は不審《ふしん》に思《おも》いつつも、車《くるま》をまっすぐ走《はし》らせた。

「二手目《にてめ》」

秀吉《しゅうきち》は持《も》っていた扇子《せんす》をスッと上《あ》げた。

「敵方《てきかた》は109号線《ごうせん》をそのまま進《すす》んで梅《うめ》の木《き》へ」

秀吉《しゅうきち》が頭《あたま》に描《えが》いた将棋盤《しょうぎばん》の中《なか》で、井上《いのうえ》の車《くるま》が動《うご》き出《だ》す――。

時速《じそく》700キロのスピードで軌道《きどう》の壁面《へきめん》に衝突《しょうとつ》しながら進《すす》むリニアの車内《しゃない》は、激《はげ》しく揺《ゆ》れ、コナンと真純《ますみ》は座席《ざせき》につかまりながら、先頭車両《せんとうしゃりょう》の16号車《ごうしゃ》に向《む》かった。途中《とちゅう》のデッキで、コナンが置《お》いていったヘルメットを拾《ひろ》う。

「この先《さき》だ！」

二人《ふたり》は16号車《ごうしゃ》の通路《つうろ》を走《はし》り、先頭《せんとう》にあるメインの運転室《うんてんしつ》に入《はい》った。

すさまじい勢《いきお》いで軌道《きどう》を破壊《はかい》しながら走《はし》るリニアは、遠目《とおめ》からでも恐怖《きょうふ》を感《かん》じて、蘭《らん》は思《おも》わず頭《あたま》を抱《かか》えた。

「どうしよう。このままじゃ……！」

するとそのとき、蘭《らん》の携帯電話《けいたいでんわ》が震《ふる》えた。画面《がめん》を確認《かくにん》する。

「園子《そのこ》……？」

電話《でんわ》に出《で》ると、いきなり『蘭《らん》!?』と叫《さけ》ぶ園子《そのこ》の声《こえ》が聞《き》こえてきた。

『芝浜駅《しばはまえき》はリニアの暴走《ぼうそう》で大混乱《だいこんらん》よ！　ＷＳＧ開会式《ダブルエスジーかいかいしき》も中止《ちゅうし》になって避難勧告《ひなんかんこく》が出《で》てる！』

「そんな……」

『蘭《らん》は今《いま》、新幹線《しんかんせん》の中《なか》だから大丈夫《だいじょうぶ》よね!?』

「私《わたし》は大丈夫《だいじょうぶ》だけど、それより――」

コナンたちのことを伝《つた》えるより先《さき》に、園子《そのこ》が一緒《いっしょ》にいる子供《こども》たちに話《はな》しかけた。

『蘭《らん》たちは大丈夫《だいじょうぶ》だってよ～！』

『よかったぜ！』『よかったです』『よかった～！』

近《ちか》くの座席《ざせき》にいる灰原《はいばら》にも、子供《こども》たちの声《こえ》が聞《き》こえてくる。

『哀《あい》ちゃんに電話《でんわ》かけたんだけど繋《つな》がらなかったから、みんな心配《しんぱい》してたんだよ！』

「哀《あい》ちゃんは一緒《いっしょ》だよ。でも、コナン君《くん》が――」

『おっ！　そこに灰原《はいばら》いんのかよ？』

今度《こんど》は元太《げんた》に遮《さえぎ》られてしまった。

『じゃあ伝《つた》えて伝《つた》えて～！』

蘭《らん》は子供《こども》たちの声《こえ》を聞《き》きながら灰原《はいばら》の隣《となり》に座《すわ》り、携帯電話《けいたいでんわ》を二人《ふたり》の耳《みみ》の間《あいだ》に掲《かか》げた。

『新《あたら》しいヤイバーがなんと空《そら》から――』

『パラシュートで降《お》りてきて――』

『か〜〜っこよかったぜ!!』

子供《こども》たちの陽気《ようき》な声《こえ》に、蘭《らん》は少々《しょうしょう》の苛立《いらだ》ちを覚《おぼ》える。

「パ、パラシュート……」

そこまで言《い》って、蘭《らん》は「あ！」と声《こえ》を上《あ》げ、灰原《はいばら》を振《ふ》り返《かえ》った。何《なに》やら思案《しあん》していた灰《はい》原《ばら》も「あ！」と叫《さけ》ぶ。

二人《ふたり》の頭《あたま》には、同《おな》じものが思《おも》い浮《う》かんでいた。

リニアの体験乗車説明会《たいけんじょうしゃせつめいかい》で、エリーがリニアの模型《もけい》の尾《お》から引《ひ》き伸《の》ばした万国旗《ばんこくき》――。

「「パラシュート!!」」

灰原《はいばら》と蘭《らん》は真剣《しんけん》な表情《ひょうじょう》で、顔《かお》を見合《みあ》わせた。


先頭車両《せんとうしゃりょう》の運転室《うんてんしつ》に入《はい》った真純《ますみ》は、車掌室《しゃしょうしつ》と同《おな》じようにブレーキレバーを引《ひ》いてみた。しかし、何《なん》の反応《はんのう》もない。

「ダメだ。こっちのブレーキも壊《こわ》れてるみたいだね。万事休《ばんじきゅう》すだな」

そう言《い》ってふと下《した》を見《み》ると、床《ゆか》に座《すわ》ったコナンがコンソール横《よこ》のハッチを開《あ》けて、中《なか》を覗《のぞ》き込《こ》んでいた。

「コナン君《くん》、何《なに》してんの？」

「いや、ここ何《なに》かなと思《おも》って」

コナンがハッチを閉《し》めていると、探偵《たんてい》バッジから灰原《はいばら》の声《こえ》が聞《き》こえてきた。

『江戸川君《えどがわくん》、聞《き》こえる⁉』

赤井《あかい》の指示通《しじどお》り、キャメルの車《くるま》は八王子街道《はちおうじかいどう》を通《とお》って相鉄線谷西駅近《そうてつせんやにしえきちか》くに来《き》ていた。谷《や》西駅《にしえき》と交差《こうさ》する新幹線《しんかんせん》の高架《こうか》をくぐり、梅《うめ》の木交差点《きこうさてん》に差《さ》しかかる。すると、左手《ひだりて》の10 9号線《ごうせん》から井上《いのうえ》の車《くるま》が現《あらわ》れた。左折《させつ》しようと交差点《こうさてん》の手前《てまえ》で停《と》まっている。

「いました！」

キャメルは急《きゅう》ブレーキをかけ、井上《いのうえ》の車《くるま》の進行方向《しんこうほうこう》をふさぐように車《くるま》を横滑《よこすべ》りさせた。

「クソッ！」

井上《いのうえ》は急発進《きゅうはっしん》し、キャメルの車《くるま》に体当《たいあ》たりしてはね飛《と》ばした。左折《させつ》した井上《いのうえ》の車《くるま》は八王《はちおう》子街道《じかいどう》を駆《か》け抜《ぬ》けていく。

「あの車《くるま》はなんなんだ……」

井上《いのうえ》はルームミラーに映《うつ》るベンツを怪訝《けげん》そうに見《み》つめた。

あのベンツは、鴨池大橋《かもいけおおはし》から追《お》いかけてきた車《くるま》だ。途中《とちゅう》で右折《うせつ》していなくなったはずなのに、なぜここでまた鉢合《はちあ》わせしたんだ――⁉

体当《たいあ》たりされたベンツはすぐに体勢《たいせい》を立《た》て直《なお》し、追《お》いかけてきた。井上《いのうえ》の車《くるま》の後《うし》ろにつき、センターラインを超《こ》えて強引《ごういん》に前《まえ》に出《で》ようとする。が、対向車《たいこうしゃ》が来《き》て、慌《あわ》てて引《ひ》っ込《こ》む。その隙《すき》に、井上《いのうえ》はさらにスピードを上《あ》げた。一瞬《いっしゅん》、離《はな》れたものの、すぐにベンツが追《お》いついてくる。

ルームミラーに映《うつ》る運転席《うんてんせき》の男《おとこ》の顔《かお》を見《み》て、井上《いのうえ》は「クッ！」と歯噛《はが》みした。そして力《ちから》任《まか》せにブレーキを踏《ふ》む。

井上《いのうえ》の車《くるま》が急停止《きゅうていし》して、キャメルは慌《あわ》ててハンドルを右《みぎ》に切《き》った。ギリギリで井上《いのうえ》の車《くるま》をかわして進《すす》む。後部座席《こうぶざせき》のジェイムズが振《ふ》り返《かえ》ると、井上《いのうえ》の車《くるま》は方向転換《ほうこうてんかん》をして、来《き》た道《みち》を戻《もど》っていく。

「すぐ追《お》います！」

キャメルは横滑《よこすべ》りして車《くるま》を止《と》めた。

高速道路《こうそくどうろ》を走《はし》るマスタングの中《なか》。

港浜《みなとはま》の地図《ちず》と将棋盤《しょうぎばん》を頭《あたま》の中《なか》に浮《う》かべた秀吉《しゅうきち》が、口《くち》を開《ひら》く。

「三手目《さんてめ》。攻方《せめかた》は環状《かんじょう》2号線《ごうせん》へ」

『環状《かんじょう》2号線《ごうせん》だ、キャメル』

ジェイムズのスマホから赤井《あかい》の声《こえ》が聞《き》こえて、キャメルは「え!?」と驚《おどろ》いた。環状《かんじょう》2号《ごう》線《せん》はこの先《さき》を進《すす》んだところで交《まじ》わる道路《どうろ》で、井上《いのうえ》の車《くるま》が進《すす》む方向《ほうこう》とは逆方向《ぎゃくほうこう》だ。

「し、しかし、せっかく犯人《はんにん》と合流《ごうりゅう》したのに――」

『キャメル！』

「……む、向《む》かいます」

キャメルは困惑《こんわく》しつつも、車《くるま》の向《む》きを戻《もど》し、先《さき》に進《すす》んだ。

一方《いっぽう》、来《き》た道《みち》を戻《もど》ってきた井上《いのうえ》の車《くるま》は、梅《うめ》の木交差点《きこうさてん》を右折《うせつ》して、１０９号線《ごうせん》を走《はし》る――。

『犯人《はんにん》の車《くるま》、完全《かんぜん》に見失《みうしな》いました』

マスタングの車載《しゃさい》ホルダーにセットされたスマホから、キャメルの落胆《らくたん》した声《こえ》が聞《き》こえてきた。だが、助手席《じょしゅせき》の秀吉《しゅうきち》は涼《すず》しい顔《かお》をしていた。

「いいえ」と扇子《せんす》で自分《じぶん》の額《ひたい》を指《さ》す。「ここにいます」

同《おな》じ頃《ころ》。リニアの運転室《うんてんしつ》にいるコナンと真純《ますみ》は、探偵《たんてい》バッジで蘭《らん》たちの指示《しじ》を聞《き》いていた。

『わかる!?　コナン君《くん》！』

『ブレーキの操作《そうさ》は無理《むり》でも、それ以外《いがい》は動《うご》く可能性《かのうせい》が高《たか》いって！』

「うん、わかったよ」

『仕込《しこ》みが終《お》わったら、青《あお》いボタンを押《お》すのよ！』

「ああ、サンキュ！」

応答《おうとう》するコナンの横《よこ》で、真純《ますみ》がすっくと立《た》ち上《あ》がる。

「それじゃ、蘭君《らんくん》たちの助言《じょげん》どおりに、後方運転席《こうほううんてんせき》に移動《いどう》するか」

「僕《ぼく》はここに残《のこ》る」

コナンはそう言《い》うと、ボタン型《がた》スピーカーを真純《ますみ》に投《な》げた。

「念《ねん》のため二手《ふたて》に分《わ》かれた方《ほう》がいい。そこからボクの声《こえ》がしたら、決行《けっこう》の合図《あいず》だと思《おも》って！」

開《ひら》いたハッチに向《む》き直《なお》ったコナンが、ヘルメットを被《かぶ》る。

「……了解《りょうかい》！」

コナンが何《なに》をするのか瞬時《しゅんじ》に察《さっ》した真純《ますみ》は、手《て》のひらに載《の》ったボタン型《がた》スピーカーをギュッと握《にぎ》った。

蘭《らん》たちが乗《の》っている新幹線《しんかんせん》は、徐々《じょじょ》にスピードを落《お》としはじめた。

『ただいま暴走《ぼうそう》したリニアに近《ちか》づいているため、安全《あんぜん》のため車両《しゃりょう》を停止《ていし》させます。皆様《みなさま》、席《せき》にお着《つ》きください。繰《く》り返《かえ》します――』

車内《しゃない》にアナウンスが流《なが》れ、立《た》っていた人《ひと》たちが座席《ざせき》に座《すわ》り出《だ》す。

灰原《はいばら》の隣《となり》に座《すわ》った蘭《らん》は、両手《りょうて》を組《く》んで祈《いの》り出《だ》した。

「コナン君《くん》、世良《せら》ちゃん。どうか無事《ぶじ》で……」

県道《けんどう》109号線《ごうせん》を戻《もど》っていった井上《いのうえ》の車《くるま》は、カーナビの指示《しじ》どおり遠回《とおまわ》りしながら県道《けんどう》12号線《ごうせん》に入《はい》った。トンネルを出《で》てすぐに現《あらわ》れた分岐点《ぶんきてん》を右《みぎ》に進《すす》み、環状《かんじょう》2号線《ごうせん》に合流《ごうりゅう》する。

すると、ルームミラーに環状《かんじょう》2号線《ごうせん》を進《すす》むベンツが映《うつ》った。

「なんでだよ！」

井上《いのうえ》にはわけがわからなかった。ベンツと反対方向《はんたいほうこう》に走《はし》っていったのに、またもや鉢合《はちあ》わせてしまったのだ。

井上《いのうえ》はスピードを上《あ》げ、追《お》い越《こ》し車線《しゃせん》から猛追《もうつい》するベンツの前《まえ》に出《で》た。さらに激《はげ》しい蛇行《だこう》を繰《く》り返《かえ》し、タイヤが甲高《かんだか》い悲鳴《ひめい》を上《あ》げる。しかし、ベンツはすれすれの間合《まあ》いで井上《いのうえ》の車《くるま》に迫《せま》り、二台《にだい》の車《くるま》が並《なら》んだ。

「車《くるま》を止《と》めるんだ！」

ベンツの運転席《うんてんせき》からキャメルが叫《さけ》ぶ。

「誰《だれ》だよ、お前《まえ》!?」

逆上《ぎゃくじょう》した井上《いのうえ》はハンドルを右《みぎ》に切《き》り、ベンツに体当《たいあ》たりした。

いきなり車《くるま》をぶつけられ、ベンツの車内《しゃない》が激《はげ》しく揺《ゆ》れた。

「大丈夫《だいじょうぶ》ですか⁉」運転席《うんてんせき》のキャメルが後《うし》ろを振《ふ》り返《かえ》る。後部座席《こうぶざせき》のジェイムズは「ああ、構《かま》うな」と体《からだ》を起《お》こした。

「何《なに》かにつかまっててください！」

キャメルはギアをチェンジして、アクセルを踏《ふ》み込《こ》んだ。猛《もう》スピードで井上《いのうえ》の車《くるま》を追《お》う。

再《ふたた》び井上《いのうえ》の車《くるま》に並《なら》ぶと、井上《いのうえ》は車《くるま》を何度《なんど》もベンツの車体《しゃたい》の左側《ひだりがわ》に当《あ》て続《つづ》けた。火花《ひばな》を散《ち》らした両者《りょうしゃ》の車《くるま》が、蛇行《だこう》しながら突《つ》き進《すす》む。

やがて道路《どうろ》が三車線《さんしゃせん》になり、交通量《こうつうりょう》が増《ふ》えてきた。井上《いのうえ》は強引《ごういん》な追《お》い越《こ》しを続《つづ》け、菅田《すげた》入口《いりぐち》の交差点《こうさてん》も信号《しんごう》を無視《むし》して突《つ》っ込《こ》んだ。キャメルの車《くるま》も続《つづ》く。

猛《もう》スピードで走《はし》る井上《いのうえ》の車《くるま》にキャメルの車《くるま》が追《お》いついて、再《ふたた》び横《よこ》に並《なら》んだ。

秀吉《しゅうきち》の頭《あたま》の中《なか》の将棋盤《しょうぎばん》で、二《ふた》つの駒《こま》が並《なら》んで動《うご》いていた。

「四手目《よんてめ》」

額《ひたい》に扇子《せんす》をつけた秀吉《しゅうきち》がつぶやく。

「敵方《てきかた》、車線変更《しゃせんへんこう》し側道《そくどう》へ」

再《ふた》びベンツに並《なら》ばれた井上《いのうえ》は、ハンドルを握《にぎ》りながらフゥー、フゥーと荒《あら》い息《いき》を吐《は》いた。

前方《ぜんぽう》には大《おお》きな陸橋《りっきょう》が見《み》える——。

「こいつ！」

ベンツの右側車線《みぎがわしゃせん》を走《はし》っていた井上《いのうえ》は、急《きゅう》ハンドルを切《き》って、ベンツの前《まえ》に割《わ》り込《こ》んだ。車体《しゃたい》がぶつかり、井上《いのうえ》の車《くるま》のサイドミラーが吹《ふ》き飛《と》ぶ。そのまま井上《いのうえ》の車《くるま》は側道《そくどう》に入《はい》っていった。

ぶつけられたキャメルの車《くるま》も体勢《たいせい》を立《た》て直《なお》して車線変更《しゃせんへんこう》しようとするが、後《うし》ろから走《はし》ってきた大型《おおがた》トラックに左車線《ひだりしゃせん》をふさがれてしまう。

「しまった！」

キャメルの車《くるま》は側道《そくどう》に入《はい》れず、そのまま陸橋《りっきょう》を進《すす》む。

『ダメです！　追跡《ついせき》できません。失敗《しっぱい》です！』

マスタングの車載《しゃさい》ホルダーにセットされたスマホから、キャメルの緊迫《きんぱく》した声《こえ》が聞《き》こえてくる。しかし、秀吉《しゅうきち》は動《どう》じる様子《ようす》もなく、

「いいえ」涼《すず》しげな瞳《ひとみ》を鋭《するど》く光《ひか》らせた。「新港浜陸橋下《しんみなとはまりっきょうした》にて——王手《おうて》！」

運転席《うんてんせき》の赤井《あかい》が間髪《かんぱつ》入《い》れずに叫《さけ》ぶ。

「ジョディ！」

赤井《あかい》の指示《しじ》どおり、新港浜陸橋《しんみなとはまりっきょう》の下《した》で待機《たいき》していたジョディは、走《はし》ってくる黒《くろ》の外車《がいしゃ》を見《み》て驚《おどろ》いた。

「ホントに来《き》た……」

スマホをしまって道路《どうろ》に飛《と》び出《だ》したジョディは、真《ま》ん中《なか》で立《た》ち止《ど》まって拳銃《けんじゅう》を構《かま》えた。

「止《と》まれ――!!」

側道《そくどう》から陸橋下《りっきょうした》に出《で》てきた井上《いのうえ》は、道路《どうろ》の真《ま》ん中《なか》で拳銃《けんじゅう》を構《かま》えるジョディに目《め》をむいた。

「!! なんだよアイツ!!」

井上《いのうえ》は思《おも》わず急《きゅう》ハンドルを切《き》った。タイヤを滑《すべ》らせた車《くるま》は左右《さゆう》に激《はげ》しく蛇行《だこう》して、路肩《ろかた》に停車《ていしゃ》していた車《くるま》にぶつかり、そのまま乗《の》り上《あ》げる。

「うわあああ！」

跳《は》ね上《あ》がった車《くるま》は、拳銃《けんじゅう》を構《かま》えたジョディの頭上《ずじょう》で横転《おうてん》して、陸橋《りっきょう》の柱《はしら》に激突《げきとつ》して落下《らっか》した。

ひっくり返《かえ》った車《くるま》は路面《ろめん》を滑《すべ》って止《と》まり、ジョディが駆《か》け寄《よ》る。

「俺《おれ》は夢《ゆめ》を見《み》ているのか……？」

高木《たかぎ》が運転《うんてん》する覆面《ふくめん》パトカーで井上《いのうえ》の車《くるま》を追《お》っていた小五郎《こごろう》は、道路《どうろ》と並行《へいこう》するリニアの高架《こうか》を見上《みあ》げてつぶやいた。

たった今《いま》、リニアが軌道《きどう》に衝突《しょうとつ》しながら猛《もう》スピードで走《はし》り抜《ぬ》けていった。大量《たいりょう》の瓦礫《がれき》が落《お》ちてきて、歩道《ほどう》を歩《ある》いていた人々《ひとびと》が悲鳴《ひめい》を上《あ》げる。

「いったい何《なに》が起《お》こってるんだ……？」

「残念《ざんねん》ながら現実《げんじつ》ですよ、毛利《もうり》さん」

高木《たかぎ》は急《きゅう》ブレーキをかけて車《くるま》を止《と》めた。


9号車《ごうしゃ》と10号車《ごうしゃ》の間《あいだ》にある車掌室《しゃしょうしつ》に戻《もど》ってきた真純《ますみ》は、部屋《へや》の隅《すみ》に座《すわ》り込《こ》んで何《なに》やら作《さ》業《ぎょう》をしていた。

「よーし、この端《はし》を縛《しば》ったらボクの作業《さぎょう》は完了《かんりょう》っと！」

ロープと布《ぬの》の端《はし》をギュッときつく縛《しば》る。

「あとはコナン君《くん》の連絡《れんらく》を待《ま》つのみ」

真純《ますみ》はそう言《い》って、ジャケットの襟《えり》につけたボタン型《がた》スピーカーを見《み》た。

ヘルメットを被《かぶ》ったコナンは開《ひら》いたハッチの中《なか》に入《はい》り、リニアの先端部《せんたんぶ》に向《む》かった。子《こ》供《ども》が這《は》いつくばってやっと通《とお》れるほどの隙間《すきま》の中《なか》、腕時計《うでどけい》のライトで照《て》らしながら進《すす》んでいく。

「先頭《せんとう》までもう少《すこ》しのはず……」

そのとき、車体《しゃたい》が大《おお》きく揺《ゆ》れて、コナンの頭上《ずじょう》に部品《ぶひん》が落《お》ちてきた。

「ぐっ……！」

ヘルメットで防護《ぼうご》したコナンは、揺《ゆ》れに耐《た》えながら腹這《はらば》いになって先端《せんたん》へと向《む》かう。

複雑《ふくざつ》に絡《から》み合《あ》う部品《ぶひん》や配線《はいせん》の隙間《すきま》を縫《ぬ》うようにして少《すこ》しずつ進《すす》むと、やがて、広《ひろ》い空間《くうかん》が見《み》えてきた。

「着《つ》いた……！」

コナンはヘルメットを脱《ぬ》ぎ、周囲《しゅうい》をライトで照《て》らした。そこは、リニアの先端部《せんたんぶ》だった。周囲《しゅうい》の部品《ぶひん》やケーブルからスパークが飛《と》び散《ち》っている。

コナンは叫《さけ》んだ。

「世良《せら》の姉《ねえ》ちゃん！　今《いま》だぁっ!!」

ジャケットにつけたボタン型《がた》スピーカーからコナンの声《こえ》が聞《き》こえて、真純《ますみ》はコンソールの青《あお》いボタンを押《お》した。

すると――超高速《ちょうこうそく》で縦横無尽《じゅうおうむじん》に脱線走行《だっせんそうこう》するリニアの最後尾《さいこうび》から、一枚《いちまい》の巨大《きょだい》な万国旗《ばんこくき》が飛《と》び出《だ》した。四隅《よすみ》をロープで縛《しば》られた万国旗《ばんこくき》が帆《ほ》のように張《は》って空《そら》に上《あ》がる——。

「おっ！　でっけーパラシュートだ！」

芝浜駅《しばはまえき》から避難場所《ひなんばしょ》に移動《いどう》していた元太《げんた》は、空《そら》に広《ひろ》がる万国旗《ばんこくき》のパラシュートを見《み》て叫《さけ》んだ。園子《そのこ》に手《て》を引《ひ》かれていた歩美《あゆみ》や光彦《みつひこ》も空《そら》を見上《みあ》げる。

空《そら》に広《ひろ》がった巨大《きょだい》なパラシュートに引《ひ》っ張《ぱ》られたリニアは、もんどりを打《う》つように長《なが》い車体《しゃたい》をくねらせ、その先頭車両《せんとうしゃりょう》が大《おお》きく反《そ》り上《あ》がった。

リニアの先端部《せんたんぶ》の中《なか》で宙《ちゅう》に浮《う》いたコナンは、キック力増強《りょくぞうきょう》シューズのダイヤルを回《まわ》し、ヘルメットを思《おも》い切《き》り蹴《け》る。

「いっけえぇぇぇ————!!」

ヘルメットが直撃《ちょくげき》したリニアの先端部《せんたんぶ》が吹《ふ》き飛《と》び、浮《う》き上《あ》がった車両《しゃりょう》が落下《らっか》して軌道《きどう》に叩《たた》きつけられた。それでもリニアは瓦礫《がれき》を撒《ま》き散《ち》らして土煙《つちけむり》を巻《ま》き上《あ》げながら、時速《じそく》４０0キロのスピードで進《すす》み続《つづ》ける。むきだしになった先端部《せんたんぶ》には、伸縮《しんしゅく》サスペンダーで体《からだ》を支《ささ》えるコナンの姿《すがた》があった。猛烈《もうれつ》な風圧《ふうあつ》が、コナンの体《からだ》を叩《たた》く。

コナンは機器《きき》に結《むす》びつけたサスペンダーの先《さき》を口《くち》にくわえると、どこでもボール射出《しゃしゅつ》ベルトのバックルを前《まえ》に向《む》けた。そして、射出《しゃしゅつ》ボタンを押《お》す。

サッカーボールが一気《いっき》に膨《ふく》れ上《あ》がり、コナンの体《からだ》が見《み》えなくなった。

大勢《おおぜい》の人《ひと》たちと一緒《いっしょ》に避難場所《ひなんばしょ》に向《む》かっていた光彦《みつひこ》たちは、暴走《ぼうそう》するリニアの先端《せんたん》で膨《ふく》らむボールを見《み》て、あっと声《こえ》を上《あ》げた。

「あのサッカーボールは――」

「コナンのじゃねぇか！」

「本当《ほんとう》だ！」

先端《せんたん》に巨大《きょだい》なサッカーボールをつけたリニアは、徐々《じょじょ》に減速《げんそく》していった。しかし、再《ふた》び先頭車両《せんとうしゃりょう》が持《も》ち上《あ》がり、激《はげ》しく暴《あば》れ出《だ》す。

「くっそぉ！　死《し》んでたまるか!!」

コナンは、縦横無尽《じゅうおうむじん》に激《はげ》しく揺《ゆ》れる車内《しゃない》を真純《ますみ》のいる後尾車両《こうびしゃりょう》に向《む》かって走《はし》った。コナンたちが脱出《だっしゅつ》した車両《しゃりょう》がありえない方向《ほうこう》に回転《かいてん》して、ねじれ曲《ま》がる。

グギャギャギャギャー――!!

暴走《ぼうそう》するリニアは、まるで蛇《へび》のようにその車体《しゃたい》を大《おお》きくくねらせながら、芝浜駅《しばはまえき》に向《む》かった。しかし、駅《えき》の手前《てまえ》は緩《ゆる》やかなカーブになっていた。暴《あば》れ狂《くる》う車体《しゃたい》は湾曲《わんきょく》する軌道《きどう》をなぎ倒《たお》し、直線上《ちょくせんじょう》にある芝浜《しばはま》スタジアムに突《つ》っ込《こ》む――!!

轟音《ごうおん》と共《とも》にスタジアムの屋根《やね》が崩《くず》れ、リニアの先頭車両《せんとうしゃりょう》が客席《きゃくせき》に激突《げきとつ》した。長《なが》く連《つら》なったリニアの車両《しゃりょう》が次々《つぎつぎ》と落下《らっか》して、無残《むざん》にひしゃげていく。客席《きゃくせき》が吹《ふ》き飛《と》んだスタジアムからは、すさまじい土煙《つちけむり》が上《あ》がった――。

「……そんな……」

停車《ていしゃ》した新幹線《しんかんせん》の窓《まど》から覗《のぞ》く蘭《らん》の瞳《ひとみ》に、おぞましい光景《こうけい》が映《うつ》る。座席《ざせき》の通路《つうろ》に立《た》って見《み》ていた灰原《はいばら》も、飛《と》び込《こ》んできた惨事《さんじ》に言葉《ことば》を失《うしな》う。

すると、小五郎《こごろう》の座席《ざせき》でモニターを操作《そうさ》していたエリーが叫《さけ》んだ。

「モニターが復活《ふっかつ》したわ!」

「どいて!」

灰原《はいばら》はエリーの前《まえ》に駆《か》け込《こ》み、すばやくモニターを操作《そうさ》した。モニター画面《がめん》にはリニアの各車両《かくしゃりょう》やデッキに設置《せっち》された防犯《ぼうはん》カメラ映像《えいぞう》が分割表示《ぶんかつひょうじ》されている。

いくつかの映像《えいぞう》はノイズしか映《うつ》っていなかった。他《ほか》の映像《えいぞう》も、扉《とびら》や壁《かべ》がぐしゃぐしゃに曲《ま》がったデッキ、無残《むざん》に破壊《はかい》された座席《ざせき》、瓦礫《がれき》だらけの床《ゆか》、天地《てんち》が逆《さか》さまになったボロボロの車内《しゃない》など、悲惨《ひさん》なものばかりだ。

「……そこじゃない」

灰原《はいばら》は目《め》をそらさなかった。モニターのボタンで、別《べつ》の防犯《ぼうはん》カメラ映像《えいぞう》に次々《つぎつぎ》と切《き》り替《か》える。窓際《まどぎわ》にいた蘭《らん》も駆《か》け寄《よ》ってきて、一緒《いっしょ》にモニターを見《み》つめる。

壊滅的《かいめつてき》な車内《しゃない》やノイズが続《つづ》く中《なか》、最後尾《さいこうび》の車両《しゃりょう》が映《うつ》った。


なんだかふわふわと浮《う》いている――。

気《き》がつくと、工藤新一《くどうしんいち》は何《なに》かの中《なか》をゆったりと漂《ただよ》っていた。意識《いしき》はあるけれど、目《め》は開《あ》かない。柔《やわ》らかな風《かぜ》が、新一《しんいち》の髪《かみ》をふわりとなでる。

なんだ、ここは。オレはどこにいるんだ――？

(あれ……オレ、死《し》んだのか？)

新一《しんいち》は漠然《ばくぜん》と思《おも》った。ふわふわと漂《ただよ》うこの感覚《かんかく》は、なんだかこの世《よ》とは思《おも》えないような気《き》がする。

(いやいや、まだやり残《のこ》してることたくさんあるし、第一《だいいち》オレの体《からだ》だって……)

まだ戻《もど》っていない――そう思《おも》ったとき、

「コナン君《くん》!!」

蘭《らん》の声《こえ》が聞《き》こえた。


座席《ざせき》モニターに映《うつ》った最後尾車両《さいこうびしゃりょう》も、車体《しゃたい》のあちこちが破壊《はかい》されて瓦礫《がれき》が散乱《さんらん》していた。座席《ざせき》もぐしゃぐしゃになっている。その中《なか》に、人影《ひとかげ》があった。それは、座席《ざせき》シートにボデイバッグのベルトで体《からだ》を固定《こてい》した真純《ますみ》とコナンだった。その近《ちか》くには、座席《ざせき》シートと体《からだ》をカーテンでぐるぐる巻《ま》きにしたアランと舞子《まいこ》がいる。

次の瞬間《しゅんかん》、モニターにノイズが走《はし》って何《なに》も見《み》えなくなった。

「コナン君《くん》！　世良《せら》ちゃん！　二人《ふたり》ともお願《ねが》いだから返事《へんじ》して!!」

蘭《らん》は必死《ひっし》でモニターに呼《よ》びかけた。灰原《はいばら》も探偵《たんてい》バッジに「江戸川君《えどがわくん》！」と呼《よ》びかける。

すると、

『……は……灰原《はいばら》……蘭《らん》……姉《ねえ》ちゃん……』

ノイズに混《ま》じってコナンの声《こえ》が聞《き》こえてきた。モニターにも再《ふたた》びリニア車内《しゃない》の映像《えいぞう》が映《うつ》り、ハンカチで頭《あたま》の傷《きず》を押《お》さえているコナンが見《み》えた。

『安心《あんしん》して……みんな無事《ぶじ》だよ……！』

隣《となり》に座《すわ》る真純《ますみ》も、やれやれという顔《かお》で髪《かみ》をかき上《あ》げる。

二人《ふたり》の無事《ぶじ》な姿《すがた》に、車内《しゃない》から「おお〜〜〜!!」「やったぁ〜〜〜！」と歓喜《かんき》の声《こえ》が上《あ》がった。

蘭《らん》も涙《なみだ》を拭《ふ》き、灰原《はいばら》もホッと安堵《あんど》の笑《え》みを漏《も》らす。

芝浜《しばはま》スタジアムに激突《げきとつ》したリニアは、そのほとんどの車両《しゃりょう》が高架《こうか》の軌道《きどう》から転落《てんらく》していたが、最後尾《さいこうび》から三両《さんりょう》ほどの車両《しゃりょう》はボロボロになりながらも軌道《きどう》の上《うえ》に留《とど》まっていた。

東名高速道路《とうめいこうそくどうろ》を走《はし》るマスタングの中《なか》。

赤井《あかい》のワイヤレスヘッドセットから、ジョディの声《こえ》が聞《き》こえてくる。

『犯人《はんにん》のほうからやってくるなんて、いったいどんなマジックを使《つか》ったの？　シュウ』

「マジックじゃない。将棋《しょうぎ》だ」

赤井《あかい》はそう言《い》って、さっきまで秀吉《しゅうきち》が座《すわ》っていた、今《いま》は誰《だれ》も座《すわ》っていない助手席《じょしゅせき》をチラリと見《み》た。


今《いま》から少《すこ》し前《まえ》。パーキングエリアに停車《ていしゃ》したマスタングから降《お》りて秀吉《しゅうきち》が言《い》った。

「もちろん、車《くるま》は将棋《しょうぎ》の駒《こま》じゃない。動《うご》かし方《かた》にルールはないし、逃《に》げるだけならどこにでも行《い》ける」

赤井《あかい》も車《くるま》を降《お》りると、秀吉《しゅうきち》はドアを閉《し》めて車《くるま》の前《まえ》に回《まわ》り込《こ》んだ。

「でも犯人《はんにん》は自《みずか》ら決《き》めたルールに縛《しば》られてしまうんだ。犯行《はんこう》の動機《どうき》というルールにね」

秀吉《しゅうきち》はそう言《い》って、赤井《あかい》を見《み》てほほ笑《え》む。

「経緯《けいい》を聞《き》いて予想《よそう》はできたよ。そして、最初《さいしょ》の橋《はし》に犯人《はんにん》が現《あらわ》れたことで確信《かくしん》できた。この人物《じんぶつ》は何《なに》か理由《りゆう》があってリニアを追跡《ついせき》している。そうと判《わか》れば、相手《あいて》の行動《こうどう》はこちらの手《て》の内《うち》にあるも同然《どうぜん》」

運転席側《うんてんせきがわ》に回《まわ》り込《こ》んだ秀吉《しゅうきち》は、後部座席《こうぶざせき》を覗《のぞ》き込《こ》んだ。そこには穏《おだ》やかに眠《ねむ》る由美《ゆみ》の顔《かお》が見《み》えた。

「どだい、車《くるま》じゃリニアのスピードには敵《かな》わない。それだけに犯人《はんにん》は必《かなら》ず先《さき》を焦《あせ》ったルート選択《せんたく》をしてくるはず。駒《こま》の動《うご》きが限《かぎ》られれば詰《つ》みへの道筋《みちすじ》を読《よ》むのは簡単《かんたん》だったよ」

赤井《あかい》の答《こた》えに、ジョディは『将棋《しょうぎ》？』と不思議《ふしぎ》そうに聞《き》き返《かえ》してきた。

「ああ、こっちには日本一《にっぽんいち》……いや」赤井《あかい》は後部座席《こうぶざせき》を振《ふ》り返《かえ》った。「世界一《せかいいち》のブレーンがいるんでね」

後部座席《こうぶざせき》の由美《ゆみ》のとなりには、肩《かた》を寄《よ》せて幸《しあわ》せそうに眠《ねむ》る、秀吉《しゅうきち》の姿《すがた》があった。

ジョディが横転《おうてん》した井上《いのうえ》の車《くるま》に拳銃《けんじゅう》を向《む》けながら電話《でんわ》をしていると――ドカッ！　突然《とつぜん》、運転席《うんてんせき》のドアが蹴《け》り開《あ》けられた。

ひっくり返《かえ》った車《くるま》から降《お》りてこようとした井上《いのうえ》が、上半身《じょうはんしん》が出《で》たところでばたんと倒《たお》れる。ジョディは拳銃《けんじゅう》を向《む》けながら、ＦＢＩ《エフビーアイ》の身分証《みぶんしょう》を掲《かか》げて見《み》せた。

「ＦＢＩ《エフビーアイ》よ！　両手《りょうて》を頭《あたま》の後《うし》ろに置《お》いてうつぶせに！」

「ＦＢＩ《エフビーアイ》だと……？」

井上《いのうえ》が起《お》き上《あ》がろうとしたとき——電装部品《でんそうぶひん》からスパークが走《はし》り、ボンネットの下《した》まで流《なが》れ出《で》ていたガソリンに引火《いんか》して爆発《ばくはつ》が起《お》きた。

「わああ！」

逃《に》げようとしていた井上《いのうえ》が吹《ふ》き飛《と》ばされ、陸橋《りっきょう》の真下《ました》を通《とお》る道路《どうろ》に転《ころ》がる。

爆風《ばくふう》で尻《しり》もちをついたジョディは、すぐに井上《いのうえ》に駆《か》け寄《よ》り、拳銃《けんじゅう》を向《む》けた。そしてスマホを取《と》り出《だ》し、ジェイムズに電話《でんわ》をかける。

すると、うつぶせで倒《たお》れていた井上《いのうえ》が「うう……」と顔《かお》を上《あ》げた。

「FBI《エフビーアイ》……俺《おれ》の証言《しょうげん》を握《にぎ》りつぶしたFBI《エフビーアイ》か！」

ジョディをにらみ上《あ》げる井上《いのうえ》の声《こえ》は、怒《いか》りに震《ふる》えていた。

「十五年前《じゅうごねんまえ》、俺《おれ》は確《たし》かに目撃《もくげき》した。なのに、お前《まえ》らは石原《いしはら》……石原誠《いしはらまこと》という間違《まちが》った犯人《はんにん》をでっちあげた！」

「十五年前《じゅうごねんまえ》の犯人《はんにん》は、石原誠《いしはらまこと》よ」

ジョディは耳元《みみもと》に掲《かか》げたスマホの画面《がめん》を井上《いのうえ》に向《む》けながら、冷静《れいせい》な口調《くちょう》で言《い》った。

「嘘《うそ》をつくな！」

『嘘《うそ》ではない！』スピーカーモードになったジョディのスマホから、ジェイムズの声《こえ》がした。

『その四年後《よねんご》に逮捕《たいほ》した模倣犯《もほうはん》が、そう自供《じきょう》している！　その模倣犯《もほうはん》こそ君《きみ》が目撃《もくげき》した男《おとこ》、

った。

十五年前《じゅうごねんまえ》の事件《じけん》で石原誠《いしはらまこと》の共犯者《きょうはんしゃ》だった男《おとこ》だ』

十一年前《じゅういちねんまえ》、模倣犯《もほうはん》のヒスパニック系《けい》の男《おとこ》を取《と》り調《しら》べしたＦＢＩ《エフビーアイ》捜査官《そうさかん》は、ジェイムズだった。

「……共犯者《きょうはんしゃ》……？」

思《おも》いもよらぬ言葉《ことば》に、井上《いのうえ》は愕然《がくぜん》とした。

「そう。今《いま》のあなたのような——」

「嘘《うそ》だっ!!」

スマホの画面《がめん》を向《む》けるジョディに、井上《いのうえ》が叫《さけ》ぶ。

「それならなぜ、その男《おとこ》を逮捕《たいほ》した十一年前《じゅういちねんまえ》、十五年前《じゅうごねんまえ》の事件《じけん》の犯人《はんにん》でもあったと公表《こうひょう》しなかったんだ！」

「司法取引《しほうとりひき》をしたからだ」

環状《かんじょう》２号線《ごうせん》を出《で》てジョディのところに向《む》かう車《くるま》の中《なか》で、ジェイムズはスマホに向《む》かって言《い》った。

「過去《かこ》の罪《つみ》は問《と》わない代《か》わりに、当時《とうじ》の共犯者《きょうはんしゃ》の名前《なまえ》を自白《じはく》させた。その男《おとこ》は十五年前《じゅうごねんまえ》の事件《じけん》については不問《ふもん》となった」

ジェイムズはそう言《い》うと、外《そと》の景色《けしき》に目《め》を向《む》けた。

「だから発表《はっぴょう》もしなかった」

道路《どうろ》にひざをついた井上《いのうえ》と対峙《たいじ》したジョディは、ジェイムズの言葉《ことば》を継《つ》いだ。

「白鳩舞子《しらはとまいこ》の父親《ちちおや》・石原誠《いしはらまこと》は、あなたの父親《ちちおや》を拉致《らち》した犯人《はんにん》の共犯者《きょうはんしゃ》だったのよ。あなたはそんな人物《じんぶつ》と共犯《きょうはん》になり、必要《ひつよう》のない復讐《ふくしゅう》をし、犯罪者《はんざいしゃ》となった――」

「違《ちが》う！」井上《いのうえ》が叫《さけ》ぶ。「お前《まえ》らの勝手《かって》な司法取引《しほうとりひき》のせいだ！」

「勝手《かって》な司法取引《しほうとりひき》？」ジョディは眉《まゆ》をひそめた。

「そうだ！　お前《まえ》らお得意《とくい》の薄汚《うすぎたな》い手口《てぐち》だ！　そのせいで俺《おれ》はッ……！」

責《せ》め立《た》てる井上《いのうえ》に、ジョディは冷静《れいせい》な口調《くちょう》で返《かえ》した。

「あなた方一家《がたいっか》が、全米中《ぜんべいじゅう》の非難《ひなん》から逃《に》げられたのはどうして？」

「何《なに》？」

「あなたが、こんなバカげた復讐劇《ふくしゅうげき》の真似事《まねごと》をやれたのはどうして？」

「何《なに》が言《い》いたい⁉」

苛立《いらだ》った井上《いのうえ》が叫《さけ》ぶと、スマホをポケットに入《い》れたジョディは、冷静《れいせい》かつ厳《きび》しい口調《くちょう》で言《い》った。

「それは証人保護《しょうにんほご》プログラムで名前《なまえ》を変《か》えたから。そうでしょう⁉」

井上《いのうえ》の目《め》が、大《おお》きく見開《みひら》かれた。こめかみがぴくぴくと動《うご》く。

そのとき、陸橋《りっきょう》の下《した》を通《とお》る線路《せんろ》を、港浜線《みなとはません》の下《くだ》り電車《でんしゃ》がけたたましい音《おと》を立《た》てて走《はし》った。

「それだって、あなたの言《い》う薄汚《うすぎたな》い司法取引《しほうとりひき》の一《ひと》つなのよ」

ジョディが諭《さと》すように言《い》う。すると次《つぎ》の瞬間《しゅんかん》——井上《いのうえ》は絶叫《ぜっきょう》した。そして突然走《とつぜんはし》り出《だ》して、金網《かなあみ》を登《のぼ》り出《だ》す。

金網《かなあみ》を乗《の》り越《こ》えようとする井上《いのうえ》の足《あし》を、ジョディはとっさに引《ひ》っ張《ぱ》った。二人《ふたり》して道路《どうろ》に転《ころ》がると、井上《いのうえ》はすぐに起《お》き上《あ》がってふらふら炎上《えんじょう》する車《くるま》の方《ほう》に向《む》かう。

「止《と》まりなさい！」と、ジョディが拳銃《けんじゅう》を構《かま》えても、井上《いのうえ》は足《あし》を止《と》めなかった。ただその足取《あしど》りはおぼつかず、その場《ば》をぐるぐると回《まわ》るだけで、やがて崩《くず》れるようにひざをつく。

その目《め》からは、大粒《おおつぶ》の涙《なみだ》があふれていた——。

しばらくして、新港浜陸橋《しんみなとはまりっきょう》の下《した》にキャメルの車《くるま》が到着《とうちゃく》した。

「犯人《はんにん》は？」

車《くるま》から降《お》りてきたジェイムズがたずねると、ジョディは「こちらに」と道路《どうろ》で倒《たお》れている井上《いのうえ》に目《め》を向《む》けた。

激《はげ》しく泣《な》いてその場《ば》に崩《くず》れ落《お》ちた井上《いのうえ》は、今《いま》はもうぐったりと放心状態《ほうしんじょうたい》だった。逃走《とうそう》したり抵抗《ていこう》しないと一目《ひとめ》でわかる。

そこへ遠《とお》くから近《ちか》づいてくるサイレンの音《おと》が聞《き》こえてきた。

「……あとは日本《にっぽん》の警察《けいさつ》に任《まか》せましょう」

ジョディはそう言《い》うと、キャメルの車《くるま》に向《む》かった。

リニアが脱線衝突事故《だっせんしょうとつじこ》を起《お》こした芝浜駅周辺《しばはまえきしゅうへん》には、警察車両《けいさつしゃりょう》や救急車《きゅうきゅうしゃ》が何台《なんだい》も止《と》まっていて、救急隊員《きゅうきゅうたいいん》と警官《けいかん》が慌《あわ》ただしく行《ゆ》き交《か》っていた。

車内《しゃない》から救出《きゅうしゅつ》されたコナンたちが軌道《きどう》の上《うえ》で手当《てあ》てを受《う》けていると、目暮《めぐれ》が白鳥任三郎警部《しらとりにんざぶろうけいぶ》と千葉和伸巡査部長《ちばかずのぶじゅんさぶちょう》を連《つ》れて駆《か》け寄《よ》ってきた。

「コナン君《くん》！　世良君《せらくん》！」

「二人《ふたり》ともケガの具合《ぐあい》は!?」

「ボクはかすり傷《きず》だけだよ」

「同《おな》じく」

真純《ますみ》とコナンが答《こた》えると、目暮《めぐれ》は「無事《ぶじ》で何《なに》よりだ」と安堵《あんど》の笑《え》みを浮《う》かべた。そして、

「あの人《ひと》は？」

救急隊員《きゅうきゅうたいいん》と話《はな》すアランのそばで、ストレッチャーに横《よこ》たわって手当《てあ》てを受《う》けている人物《じんぶつ》に目《め》を向《む》けた。

「ああ、あそこで手当《てあ》てされているのが犯人《はんにん》の白鳩舞子《しらはとまいこ》。身柄渡《みがらわた》すね」

真純《ますみ》が言《い》うと、右肩《みぎかた》に応急処置《おうきゅうしょち》を施《ほどこ》された舞子《まいこ》はプイッと顔《かお》を背《そむ》けた。

日《ひ》が西《にし》に傾《かたむ》きかけた頃《ころ》。赤井《あかい》が運転《うんてん》するマスタングは、まだ東名高速道路《とうめいこうそくどうろ》を走《はし》っていた。

「そうか、生《い》きてたか」

ハンドルを握《にぎ》った赤井《あかい》は、ワイヤレスヘッドセットでジョディと通話《つうわ》していた。

『さすがね、シュウ。リニアの軌道《きどう》を使《つか》った難《むずか》しい狙撃《そげき》で、的確《てきかく》に急所《きゅうしょ》を外《はず》すなんて。あなたじゃなければ、そんな――』

「いや」赤井《あかい》はジョディの声《こえ》を遮《さえぎ》った。「俺《おれ》じゃない。あのボウヤの仕業《しわざ》だ」


手当《てあ》てを受《う》けたコナンと真純《ますみ》は、リニアの軌道《きどう》の上《うえ》を並《なら》んで歩《ある》いていた。

夕日《ゆうひ》が二人《ふたり》の背中《せなか》に差《さ》して軌道《きどう》に長《なが》い影《かげ》を作《つく》り、風《かぜ》が吹《ふ》いて真純《ますみ》の肩《かた》に掛《か》けられたジャケットの裾《すそ》が翻《ひるがえ》る。

「え？　全員《ぜんいん》の携帯《けいたい》が鳴《な》ったときに？」

訊《き》き返《かえ》す真純《ますみ》に、コナンは「うん」とうなずいた。

「そのとき、アランさんにメールを送《おく》ったんだ。もしものときは犯人《はんにん》の肩《かた》をあの位置《いち》に誘《ゆう》導《どう》したいから、手伝《てつだ》ってねって」

コナンに言《い》われて真純《ますみ》は、車内《しゃない》でアランが舞子《まいこ》に撃《う》つ場所《ばしょ》を細《こま》かく指示《しじ》していたのを思《おも》い出《だ》した。自分《じぶん》が撃《う》たれるというのに、やけに何度《なんど》も細《こま》かく指示《しじ》をしていると思《おも》ったら、あれは舞子《まいこ》の立《た》つ位置《いち》を調整《ちょうせい》していたのか――。

「それでかぁ〜」

真純《ますみ》が納得《なっとく》の声《こえ》を上《あ》げた瞬間《しゅんかん》、突風《とっぷう》が吹《ふ》いた。

「うわっ！」

土煙《つちけむり》がぶわっと舞《ま》い上《あ》がり、真純《ますみ》のジャケットが風《かぜ》にさらわれて飛《と》んでいく。

『たとえ凶悪犯《きょうあくはん》でも殺《ころ》さない……あのボウヤはそういう主義《しゅぎ》らしい』

俺《おれ》たちＦＢＩ《エフビーアイ》とは違《ちが》うようだ——スマホから聞《き》こえてきた赤井《あかい》の言葉《ことば》が、ジョディの胸《むね》を突《つ》いた。

リニアの乗車説明会《じょうしゃせつめいかい》があった日《ひ》。この車《くるま》の中《なか》でコナンと会話《かいわ》したことを思《おも》い出《だ》す。

——狙撃《そげき》ってまさか、犯人《はんにん》を殺《ころ》す気《き》？

——コナン君《くん》。ＦＢＩ《エフビーアイ》にはＦＢＩ《エフビーアイ》のやり方《かた》があるのよ。

あのとき、コナンはそれ以上何《いじょうなに》も言《い》わなかったが、あきらかに不服《ふふく》そうな顔《かお》をしていた。

ジョディがＦＢＩ《エフビーアイ》のやり方《かた》を貫《つらぬ》くように、コナンも彼《かれ》の主義《しゅぎ》を変《か》えることなく徹《てっ》した。

コナンとＦＢＩ《エフビーアイ》。ときには互《たが》いに協力《きょうりょく》しあうものの、本質的《ほんしつてき》には相容《あいい》れない関係《かんけい》なのだ
——。

「クールキッド……」

ジョディは、助手席《じょしゅせき》の窓《まど》から外《そと》を見《み》つめながらつぶやいた。

風《かぜ》に飛《と》ばされた真純《ますみ》のジャケットは、空高《そらたか》く舞《ま》い上《あ》がり、あっという間《ま》に見《み》えなくなった。

「あ〜あ、お気《き》に入《い》りのジャケットだったのに……」

髪《かみ》を押《お》さえながら残念《ざんねん》そうに空《そら》を見上《みあ》げた真純《ますみ》は、「ま、いっか」とさっぱりした笑《え》みをコナンに向《む》けた。

どこか険《けわ》しい表情《ひょうじょう》で宙《ちゅう》を見《み》つめていたコナンも「戻《もど》ろっか」とニカッと笑《わら》う。

完全《かんぜん》な仲間《なかま》ではなく、互《たが》いのことを探《さぐ》り合《あ》う二人《ふたり》には、訊《き》きたいことがたくさんあった。でも、今日《きょう》はこれでよしとしよう——二人《ふたり》の笑顔《えがお》にはそんなニュアンスが含《ふく》まれていた。

「そうだね」

真純《ますみ》はフッと微笑《ほほえ》むと、先《さき》に進《すす》むコナンを追《お》いかけて歩《ある》き出《だ》した。

コナンと真純《ますみ》が芝浜駅《しばはまえき》のホームに上《のぼ》ってくると、駆《か》けつけた蘭《らん》がコナンに抱《だ》きついた。その目《め》には涙《なみだ》が浮《う》かんでいる。

心配《しんぱい》かけたな——蘭《らん》の腕《うで》の中《なか》でコナンはフッと微笑《ほほえ》んだ。こんなとき、新一《しんいち》の体《からだ》だったら逆《ぎゃく》に抱《だ》きしめてやれるのにな、と思《おも》いながら。

ふと顔《かお》を上《あ》げると、やや離《はな》れたところで灰原《はいばら》が腕《うで》を組《く》んで立《た》っていた。コナンが〝サンキュ〟と探偵《たんてい》バッジを掲《かか》げると、灰原《はいばら》も〝どういたしまして〟と探偵《たんてい》バッジを掲《かか》げて振《ふ》ってみせる。

蘭《らん》はコナンから体《からだ》を離《はな》すと、涙《なみだ》を拭《ぬぐ》った。

「蘭《らん》〜！　世良《せら》ちゃーん！」「コナーン！」「コナンくーん！」

コナンたちを呼《よ》ぶ声《こえ》がして隣《となり》のホームを振《ふ》り返《かえ》ると、園子《そのこ》と子供《こども》たちが手《て》を振《ふ》っていた。

その後《うし》ろを阿笠博士《あがさはかせ》がヒーヒー言《い》いながら走《はし》ってくるのが見《み》える。

真純《ますみ》は親指《おやゆび》を立《た》ててニカッと笑《わら》い、コナンと蘭《らん》も笑顔《えがお》を向《む》けた。

11

赤井《あかい》が港浜《みなとはま》の大黒埠頭《だいこくふとう》に到着《とうちゃく》した頃《ころ》には、陽《ひ》が西《にし》に大《おお》きく傾《かたむ》いて空《そら》が茜色《あかねいろ》に染《そ》まっていた。

海沿《うみぞ》いにマスタングを停《と》めた赤井《あかい》は、ボンネットに腰《こし》かけ、タバコを取り出した。タバコの煙《けむり》をくゆらせながら、ベイブリッジが架《か》かる海《うみ》を見《み》つめる。

タバコを吸《す》い終《お》えて車《くるま》に戻《もど》ると、ベイブリッジを渡《わた》り、みなとみらいにある駐車場《ちゅうしゃじょう》にマスタングを停《と》めた。

すでに陽《ひ》が落《お》ちて、街《まち》は夕闇《ゆうやみ》に包《つつ》まれつつあった。高層《こうそう》ビルが立《た》ち並《なら》ぶ対岸《たいがん》では、一際《ひときわ》高《たか》いランドマークタワーが黒《くろ》い影《かげ》となってそびえる。

「……ああ。そこに停《と》めておくから取《と》りに来《き》てくれ。それと、客人《きゃくじん》が二人《ふたり》乗《の》っている。丁《てい》重《ちょう》に送《おく》り届《とど》けてほしい」

マスタングの後部座席《こうぶざせき》には、ひどい寝相《ねぞう》の由美《ゆみ》と、顎《あご》をつかまれながら眠《ねむ》る秀吉《しゅうきち》の姿《すがた》があった。

「すまんな、キャメル」

昴《すばる》の姿《すがた》に戻《もど》った赤井《あかい》は、飲《の》み終《お》えた缶《かん》コーヒーを自販機《じはんき》のゴミかごに捨《す》てると、駐車場《ちゅうしゃじょう》

の中《なか》を歩《ある》いていった。そして停《と》めてあったスバル３６０に乗《の》り込《こ》む。ドアに手《て》を伸《の》ばし、バンッと閉《し》めた次《つぎ》の瞬間《しゅんかん》、

「おい、ＦＢＩ《エフビーアイ》の小僧《こぞう》」

後頭部《こうとうぶ》に銃口《じゅうこう》を押《お》し付《つ》けられた。

「どこの誰《だれ》かは知《し》らんが、貴様《きさま》らのせいで我《わ》が国《くに》の要人《ようじん》に危害《きがい》が及《およ》ぶところだったぞ」

少女《しょうじょ》のような声《こえ》だった。だが声色《こわいろ》に反《はん》して、その口調《くちょう》は大人《おとな》びて高圧的《こうあってき》だ。

「今回《こんかい》は幸運《こううん》にも大事《だいじ》には至《いた》らなかったから見逃《みのが》してやる。次《つぎ》はないと思《おも》え」

対面《たいめん》に停《と》まっていた車《くるま》が動《うご》き出《だ》し、ヘッドライトがスバル３６０を照《て》らした。その刹那《せつな》、銃口《じゅうこう》が昴《すばる》の後頭部《こうとうぶ》から離《はな》れる。

昴《すばる》はすばやく後部座席《こうぶざせき》を振《ふ》り返《かえ》った。しかし、誰《だれ》もいない——。よく見《み》ると後部座席《こうぶざせき》の助手席側《じょしゅせきがわ》のドアが少《すこ》し開《あ》いていた。昴《すばる》はフッと笑《え》みを浮《う》かべる。

(小僧《こぞう》か……)

半開《はんびら》きになったドアを閉《し》めると、昴《すばる》はエンジンをかけて、車《くるま》を走《はし》らせた。

秀吉《しゅうきち》と由美《ゆみ》は、キャメルの運転《うんてん》で秀吉《しゅうきち》のマンションまで送《おく》ってもらった。部屋《へや》に着《つ》いて早々《そうそう》、お腹《なか》が空《す》いたと由美《ゆみ》が言《い》うので、秀吉《しゅうきち》はお湯《ゆ》をわかしてカップラーメンに注《そそ》ぐ。

「え〜っ！　憶《おぼ》えてないの⁉　あんな約束《やくそく》までしたのに⁉」

ダイニングテーブルについた由美《ゆみ》は、「いや～」と頭《あたま》をかいた。「酔《よ》っ払《ぱら》ってなーんも……」

「そ、そんなぁ……」秀吉《しゅうきち》はガックリと首《くび》を垂《た》れた。由美《ゆみ》は秀吉《しゅうきち》のプロポーズを受《う》けたことも憶《おぼ》えていなかったのだ。

ショックを受《う》けている秀吉《しゅうきち》から目《め》をそらした由美《ゆみ》は、顔《かお》に冷《ひ》や汗《あせ》を浮《う》かべていた。

(誰《だれ》かの車《くるま》ん中《なか》でゲロったのは憶《おぼ》えてんだけどね……)

その頃《ころ》。秀吉《しゅうきち》たちを送《おく》り届《とど》けたキャメルは、赤井《あかい》のマスタングで首都高《しゅとこう》を走《はし》っていた。

「ん……？」

真面目《まじめ》な顔《かお》で運転《うんてん》していたキャメルが突然《とつぜん》、鼻《はな》をヒクヒクと小刻《こきざ》みに動《うご》かす。

「なんだ？　この臭《にお》い……」

後部座席《こうぶざせき》の方《ほう》からすえた臭《にお》いが漂《ただよ》ってきて、キャメルは顔《かお》をしかめた。

【おわり】

Shogakukan Junior Bunko

★小学館ジュニア文庫★

名探偵コナン 緋色の弾丸

2021年 4 月21日　初版第 1 刷発行
2021年 5 月 3 日　　　第 2 刷発行

著者／水稀しま
原作／青山剛昌
脚本／櫻井武晴

発行人／野村敦司
編集人／今村愛子
編集／伊藤 澄

発行所／株式会社　小学館
〒101-8001　東京都千代田区一ツ橋２－３－１
電話／編集　03-3230-5105
販売　03-5281-3555

印刷・製本／中央精版印刷株式会社

デザイン／石沢将人＋ベイブリッジ・スタジオ
口絵構成／内野智子

Printed in Japan　ISBN 978-4-09-231329-3

★「小学館ジュニア文庫」を読んでいるみなさんへ★

この本《ほん》の背《せ》にあるクローバーのマークに気《き》がつきましたか?

オレンジ、緑《みどり》、青《あお》、赤《あか》に彩《いろど》られた四《よ》つ葉《ば》のクローバー。これは、小学館《しょうがくかん》ジュニア文庫《ぶんこ》のマークです。そして、それぞれの葉《は》の色《いろ》には、私《わたし》たちがジュニア文庫《ぶんこ》を刊行《かんこう》していく上《うえ》で、みなさんに伝《つた》えていきたいこと、私《わたし》たちの大切《たいせつ》な思《おも》いがこめられています。

オレンジは愛《あい》。家族《かぞく》、友達《ともだち》、恋人《こいびと》。みなさんの大切《たいせつ》な人《ひと》たちを思《おも》う気持《きも》ち。まるでオレンジ色《いろ》の太陽《たいよう》の日差《ひざ》しのように心《こころ》を暖《あたた》かにする、人《ひと》を愛《あい》する気持《きも》ち。

緑《みどり》はやさしさ。困《こま》っている人《ひと》や立場《たちば》の弱《よわ》い人《ひと》、小《ちい》さな動物《どうぶつ》の命《いのち》に手《て》をさしのべるやさしさ。緑《みどり》の森《もり》は、多《おお》くの木々《きぎ》や花々《はなばな》、そこに生《い》きる動物《どうぶつ》をやさしく包《つつ》み込《こ》みます。

青《あお》は想像力《そうぞうりょく》。芸術《げいじゅつ》や新《あたら》しいものを生《う》み出《だ》していく力《ちから》。立場《たちば》や考《かんが》え方《かた》、国籍《こくせき》、自分《じぶん》とは違《ちが》う人《ひと》たちの気持《きも》ちを思《おも》い、協力《きょうりょく》しあうことも想像《そうぞう》の力《ちから》です。人間《にんげん》の想像力《そうぞうりょく》は無限《むげん》の広《ひろ》がりを持《も》っています。まるで、どこまでも続《つづ》く、澄《す》みきった青《あお》い空《そら》のようです。

赤《あか》は勇気《ゆうき》。強《つよ》いものに立《た》ち向《む》かい、間違《まちが》ったことをただす気持《きも》ち。くじけそうな自分《じぶん》の弱《よわ》い気持《きも》ちに立《た》ち向《む》かうことも大《おお》きな勇気《ゆうき》です。まさにそれは、赤《あか》い炎《ほのお》のように熱《あつ》く燃《も》え上《あ》がる心《こころ》。

四《よ》つ葉《ば》のクローバーは幸《しあわ》せの象徴《しょうちょう》です。愛《あい》、やさしさ、想像力《そうぞうりょく》、勇気《ゆうき》は、みなさんが未来《みらい》を切《き》りひらき、幸《しあわ》せで豊《ゆた》かな人《じん》生《せい》を送《おく》るためにすべて必要《ひつよう》なものです。

体《からだ》を成長《せいちょう》させていくために、栄養《えいよう》のある食《た》べ物《もの》が必要《ひつよう》なように、心《こころ》を育《そだ》てていくためには読書《どくしょ》がかかせません。みなさんの心《こころ》を豊《ゆた》かにしていく本《ほん》を一冊《さつ》でも多《おお》く出《だ》したい。それが私《わたし》たちジュニア文庫編集部《ぶんこへんしゅうぶ》の願《ねが》いです。

みなさんのこれからの人生《じんせい》には、困《こま》ったこと、悲《かな》しいこと、自分《じぶん》の思《おも》うようにいかないことも待《ま》ち受《う》けているかもしれません。どうか「本《ほん》」を大切《たいせつ》な友達《ともだち》にしてください。どんな時《とき》でも「本《ほん》」はあなたの味方《みかた》です。そして困難《こんなん》に打《う》ち勝《か》つヒントをたくさん与《あた》えてくれるでしょう。みなさんが「本《ほん》」を通《つう》じ素敵《すてき》な大人《おとな》になり、幸《しあわ》せで実《みの》り多《おお》い人生《じんせい》を歩《あゆ》むことを心《こころ》より願《ねが》っています。

小学館ジュニア文庫編集部

★小学館ジュニア文庫★ ワクワク、ドキドキがいっぱいのラインナップ

〈話題の映画&アニメノベライズシリーズ〉

アイドル×戦士 ミラクルちゅーんず!

劇場版 ひみつ×戦士 ファントミラージュ! ～映画になってちょーだいします～

劇場版 ポリス×戦士 ラブパトリーナ ～怪盗からの挑戦! ラブでパパッとタイホせよ!～

あさひなぐ

兄に愛されすぎて困ってます

あのコの、トリコ。

一礼して、キス

糸 映画ノベライズ版

ういらぶ。

海街diary

映画くまのがっこう パティシエ・ジャッキーとおひさまのスイーツ

映画 4月の君、スピカ。

映画 10万分の1

映画刀剣乱舞

映画プリパラ み～んなのあこがれ♪レッツゴー☆プリパリ

映画妖怪ウォッチ 空飛ぶクジラとダブル世界の大冒険だニャン!

映画妖怪ウォッチ シャドウサイド 鬼王の復活

映画妖怪ウォッチ FOREVER FRIENDS

映画 妖怪学園Y 猫はHEROになれるか

映像研には手を出すな!

怪盗ジョーカー ①～⑦

がんばれ! ルルロロ 全2巻

境界のRINNE 全3巻

今日から俺は!!劇場版

くちびるに歌を

劇場版アイカツ!

心が叫びたがってるんだ。

坂道のアポロン

貞子vs伽椰子

真田十勇士

シンドバッド 全2巻

呪怨―ザ・ファイナル―

呪怨―終わりの始まり―

小説 イナズマイレブン アレスの天秤 全4巻

小説 イナズマイレブン オリオンの刻印 全4巻

小説 おそ松さん 6つ子とエジプトとセミ

次はどれにする？ おもしろくて楽しい新刊が、続々登場!!

スナックワールド 全3巻
世界からボクが消えたなら 映画「世界から猫が消えたなら」キャベツの物語
世界から猫が消えたなら
NASA超常ファイル ～地球外生命からの挑戦状～
二度めの夏、二度と会えない君
8年越しの花嫁 奇跡の実話

花にけだもの
花にけだもの Second Season
ヒノマルソウル ～舞台裏の英雄たち～

響 ―HIBIKI―
ぼくのパパは天才なのだ 「深夜！天才バカボン」ハジメちゃん日記

ポケモン・ザ・ムービーXY 破壊の繭とディアンシー
ポケモン・ザ・ムービーXY 光輪の超魔神フーパ
ポケモン・ザ・ムービーXY&Z ボルケニオンと機巧のマギアナ
劇場版ポケットモンスター キミにきめた！
劇場版ポケットモンスター みんなの物語
名探偵ピカチュウ
ミュウツーの逆襲 EVOLUTION
劇場版ポケットモンスター ココ

ポッピンQ
未成年だけどコドモじゃない
MAJOR 2nd 1 二人の二世
MAJOR 2nd 2 打倒！東斗ボーイズ
ラスト・ホールド！
レイトン ミステリー探偵社 ～カトリーのナゾトキファイル～1～4

〈この人の人生に感動！ 人物伝〉

井伊直虎 ～民を守った女城主～
西郷隆盛 敗者のために戦った英雄
杉原千畝
ルイ・ブライユ 暗闇に光を灯した十五歳の点字発明者

〈発見いっぱい！ 海外のジュニア小説〉

JCオリヴィアのプリティ・プリンセス日記
JCオリヴィアのプリティ・プリンセス日記 どきどきのロイヤルウェディング
シャドウ・チルドレン1 絶対に見つかってはいけない
シャドウ・チルドレン2 絶対にだまされてはいけない
まほう少女キティ
まほう少女キティ ひとりぼっちのシャドウ

★小学館ジュニア文庫★ ワクワク、ドキドキがいっぱいのラインナップ

〈ジュニア文庫でしか読めないオリジナル〉

愛情融資店まごころ
愛情融資店まごころ2 好きなんて言えない
愛情融資店まごころ3 サヨナラ、自分勝手

アイドル誕生！ ～こんなわたしがAKB48に!?～
あの日、そらですきをみつけた
いじめ 14歳のMessage
1話3分 こわい家、あります。 くらやみくんのブラックリスト
1話3分 こわい家、あります。 くらやみくんのブラックリスト2

おいでよ、花まる寮！
お悩み解決！ ズバッと同盟 全2巻

緒崎さん家の妖怪事件簿 全4巻
華麗なる探偵アリス&ペンギン
華麗なる探偵アリス&ペンギン ワンダー・チェンジ!
華麗なる探偵アリス&ペンギン ミラー・ラビリンス
華麗なる探偵アリス&ペンギン サマー・トレジャー
華麗なる探偵アリス&ペンギン トラブル・ハロウィン
華麗なる探偵アリス&ペンギン ペンギン・パニック!
華麗なる探偵アリス&ペンギン ミステリアス・ナイト
華麗なる探偵アリス&ペンギン アリスVS.ホームズ!
華麗なる探偵アリス&ペンギン アラビアン・デート
華麗なる探偵アリス&ペンギン パーティ・パーティ
華麗なる探偵アリス&ペンギン ホームズ・イン・ジャパン
華麗なる探偵アリス&ペンギン ウィッチ・ハント!
華麗なる探偵アリス&ペンギン ファンシー・ファンタジー
華麗なる探偵アリス&ペンギン リトル・リドル・アリス
華麗なる探偵アリス&ペンギン ゴースト・キャッスル
華麗なる探偵アリス&ペンギン ウェルカム・ミラーランド

ギルティゲーム 全6巻
銀色☆フェアリーテイル 全3巻
きんかつ！ 全2巻
ぐらん×ぐらんぱ！ スマホジャック 全2巻
ここはエンゲキ特区！
さくら×ドロップ レシピ1：チーズハンバーグ
ちえり×ドロップ レシピ1：マカロニグラタン
みさと×ドロップ レシピ1：チェリーパイ
さよなら、かぐや姫～月とわたしの物語～
12歳の約束
女優猫あなご
白魔女リンと3悪魔 全10巻
世界の中心で、愛をさけぶ
月の王子 砂漠の少年
転校生 ポチ崎ポチ夫
天才発明家ニコ&キャット 全2巻
TOKYOオリンピック はじめて物語
謎解きはディナーのあとで 全3巻
のぞみ、出発進行!!

パティシエ志望だったのに、シンデレラのいじわるな姉に生まれ変わってしまいました！

大熊猫ベーカリー パンダと私の内気なクリームパン！
ホルンペッター
ぼくたちと駐在さんの700日戦争 ベスト版 闘争の巻
メチャ盛りユーチューバーアイドルいおん☆

メデタシエンド。 全2巻
ゆめ☆かわ ここあのコスメボックス
ゆめ☆かわ ここあのコスメボックス ヒミツの恋とナイショのモデル
ゆめ☆かわ ここあのコスメボックス 恋のライバルとファッションショー

ゆめ☆かわ ここあのコスメボックス 恋する遊園地で大ピンチ！
ゆめ☆かわ ここあのコスメボックス ストアイベントで恋の勝負!?
ゆめ☆かわ ここあのコスメボックス きらめきのパリで恋のキセキ
夢は牛のお医者さん
レベル1で異世界召喚されたオレだけど、攻略本は読みこんでます。

わたしのこと、好きになってください。

〈思わずうるうる…感動ストーリー〉

奇跡のパンダファミリー ～愛と涙の子育て物語～
きみの声を聞かせて 猫たちのものがたり―まぐ・ミクロ・まる―
こむぎといつまでも―余命宣告を乗り越えた奇跡の猫ものがたり―
天国の犬ものがたり～ずっと一緒～
天国の犬ものがたり～わすれないで～
天国の犬ものがたり～未来～

天国の犬ものがたり～夢のバトン～
天国の犬ものがたり～ありがとう～
天国の犬ものがたり～天使の名前～
天国の犬ものがたり～僕の魔法～
天国の犬ものがたり～笑顔をあげに～
天国の犬ものがたり～はじめまして～
天国の犬ものがたり～扉のむこう～
天国の犬ものがたり～幸せになるために～
天国の犬ものがたり～HOME ホーム～

動物たちのお医者さん
わさびちゃんとひまわりの季節

次はどれにする？ おもしろくて楽しい新刊が、続々登場!!

★小学館ジュニア文庫★ ワクワク、ドキドキがいっぱいのラインナップ

〈大人気!「名探偵コナン」シリーズ〉

名探偵コナン　瞳の中の暗殺者
名探偵コナン　天国へのカウントダウン
名探偵コナン　迷宮の十字路
名探偵コナン　銀翼の奇術師
名探偵コナン　水平線上の陰謀
名探偵コナン　探偵たちの鎮魂歌
名探偵コナン　紺碧の棺
名探偵コナン　戦慄の楽譜
名探偵コナン　漆黒の追跡者
名探偵コナン　天空の難破船
名探偵コナン　沈黙の15分
名探偵コナン　11人目のストライカー
名探偵コナン　絶海の探偵
名探偵コナン　異次元の狙撃手
名探偵コナン　業火の向日葵
名探偵コナン　純黒の悪夢
名探偵コナン　から紅の恋歌
名探偵コナン　ゼロの執行人
名探偵コナン　紺青の拳
ルパン三世VS名探偵コナン　THE MOVIE
名探偵コナン　江戸川コナン失踪事件 史上最悪の二日間

名探偵コナン　コナンと海老蔵 歌舞伎十八番ミステリー
名探偵コナン　エピソード"ONE" 小さくなった名探偵
名探偵コナン　紅の修学旅行
名探偵コナン　大怪獣ゴメラVS仮面ヤイバー
名探偵コナン　ブラックインパクト! 組織の手が届く瞬間

名探偵コナン　緋色の弾丸

小説 名探偵コナン　CASE1~4
名探偵コナン　安室透セレクション ゼロの推理劇
名探偵コナン　怪盗キッドセレクション 月下の予告状
名探偵コナン　京極真セレクション 蹴撃の事件録
名探偵コナン　赤井秀一セレクション 赤と黒の攻防
名探偵コナン　赤井一家セレクション 緋色の推理記録
名探偵コナン　世良真純セレクション 異国帰りの転校生
名探偵コナン　赤井秀一緋色の回顧録セレクション 狙撃手の極秘任務

まじっく快斗1412　全6巻